POSTE RESTANTE À LOCMARIA

Lorraine Fouchet a perdu son père à dix-sept ans, juste après son bac. Elle est devenue médecin urgentiste pour sauver les papas des autres. Elle a travaillé pendant quinze ans au SAMU et à SOS Médecins, avant de se consacrer à l'écriture. Elle est l'auteure de dix-huit romans, dont *Les Couleurs de la vie. Entre ciel et Lou*, paru chez EHO en 2016, a remporté le prix Bretagne/prix Breizh, le prix Ouest et le prix Système U. Elle vit entre les Yvelines et l'île de Groix.

Paru au Livre de Poche :

Les Couleurs de la vie

Entre ciel et Lou

LORRAINE FOUCHET

Poste restante à Locmaria

ROMAN

ÉDITIONS HÉLOÏSE D'ORMESSON

ISBN 978-2-253-25963-3 – 1re publication LGF

« C'que j'ai appris, ça tient en trois, quatre mots :
le jour où quelqu'un vous aime, il fait très beau.
» J'peux pas mieux dire, il fait très beau ! »
(Maintenant je sais, *par Jean Gabin,*
paroles de Jean-Loup Dabadie)

Aux factrices, aux facteurs

Aux livres qui changent la vie,
j'espère que vous trouverez le vôtre

Aux Tonnerre de l'île de Groix et d'ailleurs,
vous avez un si joli nom que je l'ai emprunté
pour mes héros imaginaires

À toi, papa

Rome, piazza del Popolo, vingt-six ans plus tôt

Il l'aperçoit à la terrasse du Caffè Rosati et c'est l'été, bien qu'on soit en avril. Elle est seule devant un *espresso.* Il n'aime plus dormir depuis qu'ils sont ensemble, parce qu'ils sont séparés lorsqu'il rêve. Elle a littéralement kidnappé son cœur. Ce jour-là, elle porte une robe orange, sa couleur favorite – il voit la vie en orange désormais. Elle entoure sa tasse de ses mains d'un geste si sensuel qu'il envie la porcelaine.

La terrasse est bondée, les autres clients deviennent flous, s'effacent devant sa beauté. Elle a croisé ses longues jambes, ses cheveux sont ébouriffés. Il a une chance inouïe : elle l'aime ! Il a eu l'audace de la demander en mariage, d'oser le bonheur avec elle. La semaine dernière, il l'a épousée, ils n'ont pas encore déballé les cadeaux. Ils devront remercier le *zio* Peppe pour l'horrible lampe et la *zia* Maria pour l'affreux tableau qu'il faudra accrocher quand elle viendra les voir. Désormais, il se réveillera tous les matins à côté d'elle. Comment aura-t-il la force de s'arracher à ses bras pour partir travailler ?

Il est debout devant la Chiesa degli Artisti, l'église des artistes. Elle lève la tête, elle l'aperçoit, et son sourire le réchauffe. Il a des papillons dans le ventre, l'impression qu'il est allongé sur la plage de Mastino à Fregene, qu'il dore au soleil de la Méditerranée. Leur existence commune sera ainsi, ensoleillée et joyeuse. Elle tiendra du prodige, parce qu'elle est sa femme, qu'ils portent désormais des alliances gravées à leurs initiales.

Elle lève la main pour lui faire signe, son anneau capte la lumière. Encore trois mètres et il va l'étreindre. Il est trop tôt pour boire du prosecco, ils se rattraperont tout à l'heure : c'est son anniversaire, il espère qu'elle aimera la surprise qu'il lui a préparée. Ils vont retrouver des amis pour dîner, il préférerait naviguer avec elle au creux de ses draps.

Une chanson de Paolo Conte trotte dans sa tête : *Via con me*. Ses mains pressentent la douceur de son corps. Il cherche son parfum, il est fou d'elle. Il fredonne les paroles, *it's wonderful, it's wonderful, it's wonderful, I dream of you*. Et il n'entend pas arriver la Vespa jaune.

Brusquement, le visage de la femme qu'il aime se déforme, il en devient presque laid. En se levant, elle renverse sa tasse. Le café coule sur la table, puis tombe sur le sol. En une fraction de seconde, il voit distinctement chaque détail. Juste avant que la Vespa le percute et l'envoie valdinguer. Il retombe lourdement sur les pavés de la Ville éternelle.

Il n'a pas mal, pas peur, pas froid. Il ne ressent plus rien. Il n'entend ni le cri du conducteur qui chute, ni le choc de la Vespa qui s'écrase dans un froissement de tôles contre une voiture, ni le hurlement de sa jeune épouse. Il ne sait pas qu'elle se précipite vers lui et qu'elle prend son visage dans ses mains où l'alliance scintille. Il ignore le goût et le parfum de ses larmes. Il a oublié le cadeau d'anniversaire. Les derniers mots de la chanson tournent en boucle dans son cerveau écrasé, irrécupérable, *it's wonderful, I dream of you…*

Puis, le silence se fait, implacable, indifférent à la jolie femme qui sanglote et se retrouve projetée au cœur d'un hiver glacial.

Rome, au bord du Tibre

Je m'appelle Chiara Ferrari, j'ai vingt-cinq ans. Ma famille se compose de quatre personnes, dont deux sont encore vivantes : ma mère, que j'appelle par son prénom, Livia ; mon père, mort bêtement avant ma naissance ; ma grand-mère, *nonna* Ornella, qui a rejoint son fils il y a un an ; et ma marraine Viola qui est l'amie d'enfance de ma mère. On ne rit jamais chez nous, ce serait manquer de respect à l'absent magnifique, mon père qui a pris la poudre d'escampette avant que je pointe le bout de mon nez.

À quoi ça sert, un père ? Je n'ai pas perdu le mien, je ne l'ai jamais trouvé. J'ai grandi à Rome, avec un papa jeune, sportif, drôle, charmant, encadré dans chaque pièce, souriant sur les photos. À chaque rentrée, je lui inventais un nouveau métier pour le questionnaire de l'école : carabinier, pompier, avocat, homme-grenouille, artificier, et même garde suisse au Vatican, ce qui n'avait aucun sens vu qu'ils ne recrutent que des célibataires. Quand il fallait que les parents signent mon carnet, je n'avais que l'élégant paraphe de ma mère. Une année, j'en ai eu assez d'avoir un fantôme pour père. J'ai indiqué sur le questionnaire qu'il m'élevait seul et que Livia était morte, ce qui n'était pas totalement inexact. Ça a fait un scandale, ma mère a été convoquée par la directrice. Moi, j'avais juste voulu rendre à César ce qui était à César et prouver publiquement à mon père combien il comptait pour moi.

Mon meilleur ami m'a sauvée. Alessio est chaleureux et protecteur, élevé par une mère tendre. Lui aussi a perdu son père, ça nous a rapprochés.

Franchement, j'aurais préféré être abandonnée dans un orphelinat. Livia ne m'a jamais câlinée, puisqu'elle ne pouvait plus étreindre son mari. Elle me tenait la main pour traverser la rue, c'était notre seul contact, et me lâchait aussitôt qu'on atteignait le trottoir d'en face. Elle reculait si quelqu'un voulait l'embrasser, de peur d'être électrocutée. On cohabitait. Elle s'enivrait de grappa avant d'aller se coucher, seule. Le cœur suspendu, vaguement consciente d'être en faute, j'attendais de grandir pour lui échapper et m'*envivrer.*

Livia me reprochait de ne pas être triste de la disparition de mon père. Comment aurais-je pu l'être ? Je ne l'ai connu que mort. « Tu es une mauvaise fille », m'a-t-elle dit un jour où, pour l'anniversaire de papa, j'avais allumé une bougie et lancé gaiement : «*Buon compleanno a te !*» J'y allais de bon cœur, je ne l'avais jamais entendu parler, jamais vu bouger, je ne savais que son rire muet, ses dents blanches sur le papier glacé. Sa mort n'était pas une absence, mais une présence floue et mélancolique. Livia a ajouté : «J'aurais préféré l'avoir, lui, plutôt que t'avoir, toi.» Elle avait raison, c'était logique. Un mari vous emmène en vacances, il gare la voiture, il rentre du travail avec des fleurs ; il est plus utile qu'une petite fille qu'il faut conduire à l'école, chez le pédiatre ou le dentiste, aider à faire ses devoirs. Au fond, je la comprenais. Moi aussi, j'aurais préféré l'avoir, lui, plutôt qu'elle. Il m'épatait : un type capable de monter jusqu'au paradis, une semaine après son mariage, renversé par une Vespa en traversant la piazza del Popolo, ce n'était pas rien. Un sportif prenant son élan pour bondir vers le ciel, quel exploit ! Il pulvérisait les records, j'avais de quoi être fière.

Être née au pays des familles aimantes et tomber sur une mère qui ne vous touche pas, c'est pire que de ne pas aimer les pâtes ou la sauce tomate, c'est une impardonnable faute de goût. À part les photos de classe, il n'existe aucun cliché de moi enfant, les seuls portraits qui avaient droit de cité chez Livia étaient ceux de son mari. J'étais en trop, c'était comme ça, pas de quoi en faire un plat.

Ce soir, vingt-six ans et un jour après la mort de mon père, on fête les cinquante ans de Livia au bord du Tibre, dans une *osteria* où ma marraine Viola a ses habitudes. L'absent magnifique sera là, invisible, entre les verres et les assiettes, l'entrée et la *torta* avec les cinq bougies plantées dessus, la poire et le fromage.

Pour être précise, l'anniversaire de Livia tombait hier, mais depuis la mort de son jeune mari, elle a décrété que ce jour n'existait plus. Elle l'a rayé du calendrier. À cette date fatidique, on rase les murs, on broie du noir, on se mue en ombres. Le lendemain, la vie reprend ses droits et ses devoirs.

Nous buvons un spritz pour commencer, nous continuons au prosecco. Livia souffle ses bougies, Viola applaudit. Mattia, l'amant de Viola, marié et père de famille, appelle pour présenter ses vœux. Les yeux de ma mère et de ma marraine brillent, elles ont trop bu. Dans un quart d'heure, je pourrai rentrer chez moi avec la conscience tranquille.

Soudain, Viola lève son verre, fixe ma mère comme elle épinglerait un papillon sur une plaque de liège et prononce cette phrase :

— Ça vaut mieux pour tout le monde.

Personne ne comprend à quoi elle fait allusion. Alors Viola enfonce le clou.

— Ça vaut mieux pour tout le monde, c'est ce que tu as décidé il y a vingt-six ans, Livia. Tu te souviens ?

Ma mère fronce les sourcils. Ses yeux deviennent des missiles.

Viola se tourne vers moi.

— Livia te ment depuis ta naissance. Elle n'est pas la parfaite veuve éplorée que tout le monde plaint. Elle ne sait pas qui est ton père.

Mal à l'aise, je souris bêtement.

— Ne l'écoute pas, Chiara, gronde ma mère.

— Écoute-moi au contraire. Tu es peut-être la fille d'un Français, poursuit Viola, implacable. Livia a décrété à l'époque qu'il valait mieux que ton père soit son mari mort. En vérité, il y a seulement une chance sur deux !

Après avoir lâché sa bombe, ma tendre marraine a un mauvais sourire. Livia se recroqueville sous le choc, je vacille sous l'impact. À la même seconde, nos vies volent en éclats.

Mon père, un Français ? Pétrifiée, je me repasse les paroles de Viola en boucle. Le serveur choisit mal son moment. Il s'approche de notre table et demande si nous voulons une autre bouteille. Personne ne lui répond. Livia foudroie du regard son amie d'enfance. Viola a un rictus méchant, je ne la reconnais plus. Elles se détestent et leur haine est palpable.

— Tu es saoule ! crache Livia.

— Tu avais trop bu la nuit où tu as rencontré ce Breton, rétorque Viola. Chiara est soit l'enfant de l'amour, soit l'enfant du limoncello.

— Tu n'as pas honte de dire ça devant elle ?

— Et toi, tu n'as pas honte de mentir à ta fille ?

— Pourquoi aujourd'hui ? demande Livia.

Sa voix s'étrangle. Ce n'est plus ma mère, mais une enfant trahie et blessée. Pour la première fois, elle baisse la garde.

— Pour me venger, répond Viola. Tu as conseillé à Mattia de me quitter. Il me l'a répété et je n'ai pas voulu le croire. Tout à l'heure, quand il a appelé, je t'ai regardée et j'ai compris qu'il disait vrai.

Je retiens ma respiration. Je vais me réveiller de ce cauchemar et retrouver mon père bien au chaud dans son cadre, Livia et Viola complices, Alessio mon confident et ami. Tout le monde à sa place juste et parfaite, rien qui dépasse.

— Mattia ne quittera jamais sa femme, dit lentement Livia.

— Tu es une sorcière, rétorque Viola avec violence. *Strega ! Puttana !*

— Il te fait souffrir, il ne te mérite pas. Je ne veux que ton bien. Et toi, tu me crucifies ! J'avais confiance en toi ! Chiara, je vais t'expliquer…

— Non, dis-je d'un ton sec.

J'assiste avec stupeur à l'affrontement entre ces deux femmes qui m'ont élevée – deux femmes cabossées par la vie.

— Viola ment, assène Livia en m'agrippant le poignet droit. Ne crois pas ce qu'elle dit, ton père était merveilleux, et tu lui ressembles !

Ma mère vient volontairement d'entrer en contact physique avec moi. Elle qui ne m'a pas touchée depuis des années. Son geste est aussi stupéfiant que d'apprendre que mon père mythique n'est peut-être pas mon père biologique.

— Livia ment, renchérit Viola qui attrape mon poignet gauche. J'ai gardé la lettre où elle m'a écrit que ça valait mieux pour tout le monde. Ce Français venait d'une île bretonne. Son nom de famille ressemblait à Éclair.

— Je ne te le pardonnerai jamais, crache Livia.

Elle plante ses yeux dans les miens, pour me convaincre.

— Ton père a eu un accident en traversant la piazza del Popolo, martèle-t-elle. Par ma faute. Parce qu'il me regardait. Je suis responsable de sa mort. Je porte ce poids pour l'éternité.

Elle ferme les yeux, elle ne me voit plus, elle est ailleurs, dans le lieu insupportable où elle se réveille chaque matin.

— Mattia va me quitter à cause de toi, lâche Viola avec hargne. *Ti odio* ! Crois-moi, Chiara, tu as une chance sur deux d'avoir un père vivant.

Livia se lève brusquement et quitte l'*osteria* en courant. Je suis trop bouleversée pour la rattraper.

Je regarde ma marraine. Les certitudes de mon existence se fissurent.

— Pourquoi le soir de son anniversaire ? dis-je.

— D'abord, c'était hier, pas aujourd'hui. Et moi

aussi, j'ai cinquante ans. Ta mère a perdu son mari, mais elle a gagné l'estime des crétins qui pensent qu'une femme doit être épouse et mère pour réussir sa vie. Moi, je n'ai rien, ni mari ni *bambini*, je n'avais que Mattia, un après-midi sur deux. Elle m'a arraché ce peu de bonheur. Je n'ai fait que lui rendre la monnaie de sa pièce.

— Et moi je paie les pots cassés.

— Tu es une victime collatérale. Elle aurait dû t'avouer la vérité depuis longtemps ! Elle a fini par se persuader que le doute n'existait pas, elle a occulté le passé.

— Qu'est-il arrivé ? Le Français l'a violée ? dis-je, haussant le ton dans mon désarroi.

À une table voisine, deux prêtres reconnaissables à leurs cols clergyman et aux petites croix sur leurs revers de veste sursautent devant une montagne de *risotto alla parmigiana*.

— Son mari venait de mourir, elle sombrait, répond Viola. Je l'ai embarquée de force pour un week-end à l'île d'Elbe en Toscane, chez ma cousine. Elle était ravissante, tu sais, elle avait tous les hommes à ses pieds. Ils ne me regardaient jamais, ils n'avaient d'yeux que pour elle…

Je pense à la photo où les deux amies se baladent sur une plage d'Ostia, à l'âge que j'ai aujourd'hui. Livia était ensorcelante, Viola était sympathique. Elles ne jouaient pas dans la même cour.

— Ta mère ne pouvait pas danser, elle était en

deuil. Elle était la seule à être vêtue de noir, elle s'est contentée de faire danser les verres de limoncello. La veille, des pêcheurs français qui revenaient du port avaient aidé ma cousine à changer le pneu crevé de sa Panda – elle avait roulé sur un clou dans la campagne –, alors elle les avait invités pour les remercier. L'un d'eux a parlé à ta mère qui s'est effondrée en larmes. J'ai pensé que c'était une bonne chose, qu'elle avait besoin de se laisser aller, d'exprimer son chagrin, au lieu de rester terrée chez elle, comme une morte.

— Il l'a ressuscitée ? dis-je, agressive.

— J'ai dansé sans me préoccuper d'elle. Je l'ai retrouvée le lendemain matin, on repartait ensemble pour Rome. Elle ne m'a rien raconté. Elle avait dessaoulé, elle se sentait honteuse. La fraîche veuve en deuil qui trahit la mémoire de son époux, tu imagines ce que les gens auraient dit ! Quand elle a découvert qu'elle était enceinte, elle n'a confié ses soupçons qu'à moi, pas même au gynécologue. Le Français ressemblait beaucoup à ton père. Tu es née prématurée, le doute persistait, tu pouvais être la fille des deux.

Livia, veuve irréprochable, a fauté après le drame avec un inconnu de passage. Je n'en crois pas mes oreilles.

— Je suis la seule au courant, depuis vingt-six ans, conclut Viola.

— Et tu viens de la dénoncer, dis-je avec dégoût.

— Tu remarqueras que j'ai attendu le décès de ta grand-mère !

Nonna Ornella cherchait dans chacun de mes gestes le souvenir de son fils. Si mon père n'est pas mon père, elle n'est pas ma grand-mère ? Pourtant, je l'ai plus aimée que Livia. Je soupire.

— À l'évidence, la vengeance est un plat qui se mange froid. Tu te sens mieux, maintenant ?

Viola secoue la tête, elle n'ose plus me regarder en face. Je me lève et me dirige vers la porte. Je me suis rendue à ce dîner pleine de bonne volonté, et voilà que je repars en morceaux, plus orpheline encore. Ma fêlure est devenue un gouffre. Les questions se bousculent dans ma tête. Dans la rue, j'expire à fond pour évacuer le malheur. Quelque chose me taraude, je reviens sur mes pas. Viola est encore à l'intérieur, elle règle l'addition.

— Son nom ressemblait à Éclair, mais de quelle île s'agit-il ?

Aéroport de Fiumicino,
Boîte aux lettres rouge

La Boîte rouge a deux fentes distinctes, l'une *per Roma e provincia di Roma*, l'autre *per tutte le altre destinazioni.* Une jeune femme glisse trois enveloppes dans la fente de gauche. La Boîte est immunisée, à force de recevoir des lettres de délation, de rupture ou de suicide – les aéroports exacerbent les passions. Elle préfère les lettres d'amour qui s'envoleront dans les soutes des avions. Elle devine les émotions humaines – rage, tendresse, désespoir, désir – à la façon dont les adresses sont écrites.

Au XIVe siècle, à Rome, Venise et Gênes, les premières boîtes aux lettres publiques étaient des bouches de dénonciation dans lesquelles les gens glissaient des accusations anonymes destinées à l'État. Le papier à lettres monogrammé a ensuite été l'apanage de l'aristocratie. Aujourd'hui, on communique par mail, SMS ou *via* les réseaux sociaux. La jeune femme qui vient de poster trois lettres pour

Rome sait qu'elles mettront deux jours à parvenir à leurs destinataires, deux femmes et un homme.

Si la Boîte rouge avait des bras, elle brandirait les enveloppes vers la lumière et lirait leur contenu, ou elle décollerait le rabat à la vapeur et déplierait les lettres. Mais cela est impossible, alors elle se contente de laisser libre cours à son imagination fertile.

La jeune femme s'appelle Chiara Ferrari, elle l'a noté au dos des enveloppes. Les destinataires se nomment Livia, Viola et Marco. L'écriture est penchée vers la droite, si nerveuse qu'elle a troué le papier plusieurs fois.

Aéroport de Beauvais

Tandis que l'avion atterrit sur le sol français, seuls les passagers italiens applaudissent. La fatigue m'assomme, je n'ai dormi que trois heures cette nuit.

L'île s'appelle Groix, Viola l'a prononcé comme elle l'a lu : « Gro » et plus loin « Ix ». Dès que je suis rentrée chez moi, j'ai acheté un billet d'avion pour Paris, un aller simple, car j'ignore combien de temps je resterai. J'ai tout raconté à Alessio, il m'a soutenue, confortée dans ma décision.

Je vais prendre un bus jusqu'à la Porte Maillot, à Paris, puis un métro pour la gare Montparnasse, et enfin un train vers la Bretagne. Je descendrai à Lorient, dans le Morbihan. Il ne me restera plus qu'à embarquer sur le bateau.

J'ai changé d'emploi. J'étais l'héroïne d'un drame cornélien, la fille d'une veuve fracassée et d'un défunt disloqué. Du jour au lendemain, je me retrouve en plein vaudeville.

Traversée de Lorient à Groix

J'ai appris la langue de Molière à l'école des religieuses françaises de Rome où Livia a tenu à m'envoyer – je comprends pourquoi, à présent. En revanche, je ne parle pas breton. Les panneaux ici sont bilingues, j'embarque à Lorient, *An Oriant*, je débarquerai sur l'île de Groix, *Enez Groe*. C'est la première fois que je mets les pieds en France.

Sur la carte, l'Hexagone ressemble à un homme de profil, son nez crochu s'avance en Finistère et sa narine frémit en Morbihan. Il paraît que les Bretons ont du pif, du flair, du caractère. Celui que je cherche est un insulaire. J'espère qu'il est vivant, qu'il n'a pas appareillé ailleurs, et que je ne vais pas le décevoir. Toi, tu ne m'as jamais déçue, Alessio, j'espère que la réciproque est vraie. Je parie que je suis la seule passagère que personne n'attend et qui ignore où elle dormira.

On reconnaît un Italien qui parle français à la façon dont il prononce les *u* et les *oi*. Il ne dit pas *u* mais *ou*. Il ne dit pas *oi* mais *o-i*. À la gare maritime, rue Gilles-Gahinet, je m'approche du guichet :

— Un billet pour Gro-Ix, s'il vous plaît.

— Pour où ?

Je désigne le dépliant « Île de Groix par Lorient » avec les horaires et tarifs des liaisons par bateau. La jeune femme sourit.

— Un aller simple ou un Pass 2 îles avec deux allers-retours ?

Mon estomac se contracte, je n'ai rien mangé depuis mon *panino* de 5 heures du matin.

— Un aller simple.

Il y a du monde, c'est un long week-end de printemps. Les passagers sur le bateau – groupes, familles, couples – respirent la joie de vivre. Alessio, tu me manques. Tu le sais, la vue d'une famille unie me tord le cœur. Livia m'a nourrie de *pizze* et de *pasta*, je ressemblais à un culbuto. J'ai perdu mes kilos et mes illusions le jour où je l'ai entendue souffler à Viola : « Sans Chiara, j'aurais refait ma vie et j'aurais été heureuse ! » Notre famille cocon, *il papà, la mamma, la bambina*, était une prison pour elle. En italien, on met l'accent sur le deuxième *a* de « *papà* ». *Il papa* sans accent, c'est le pape du Vatican. Il m'est plus familier que mon père. Lui, au moins, il est vivant et il ouvre les bras.

— Papa, regarde !

Je suis fan des papas des autres. Tous les modèles,

les grands, les petits, les enrobés, les maigres, les chauves, les chevelus, les moustachus, les barbus, les sophistiqués et les rustiques. J'aurais préféré un père présent, même miteux, amoché, cabossé. Je l'aurais réparé à force de tendresse.

Sur le pont supérieur du bateau, les gens ont des valises, des sandwichs, des chiens, des chats, des guitares, des visages barrés de sourires, des lunettes de soleil, des écouteurs. Je m'installe avec mon sac marin devant une famille modèle, on ne voit que leur bonheur. Le père est un grand échalas à gueule de surfeur, boucles blondes et regard clair, jean bleu et pull irlandais écru distendu, baskets New Balance rouges. La mère est une brune sexy en doudoune japonaise vert herbe, jean et boots noires. J'envie une seconde ce couple, ils sont beaux, insouciants, flanqués de jumeaux hilares en salopettes, l'une rouge, l'autre bleue, qui jouent dans leurs jambes. J'imagine les câlins à quatre dans le lit le dimanche matin, la cuisine lumineuse, le sapin décoré à Noël. Les parents portent le même bracelet de perles rondes, sans doute rapporté d'un voyage lointain avant la naissance des garçons. Ils ont mon âge, mais ils n'ont pas ma solitude. J'ai exercé plusieurs métiers, brocanteuse aux puces de Porta Portese, serveuse au Caffè delle Arti, vendeuse via Veneto, et je travaille actuellement dans une grande librairie de Rome. J'ai quitté la capitale ce matin sans prévenir Livia, ni Viola, ni mon petit ami Marco, ni mon employeur. J'ai tout plaqué sur un coup de tête après le dîner d'hier soir. C'était l'anniversaire de ma mère, ça a été ma fête.

Je ne vis pas avec Marco, j'ai trop peur de m'engager, d'avoir mal, de souffrir à cause d'un homme. Je ne suis responsable de rien ni de personne. Je n'ai ni enfants ni poisson rouge. Même pas une cafetière, je bois mon *espresso* au Nuclear Bar en bas de chez moi. Même pas une voiture, je roule en Scarabeo de chez Piaggio, j'évite les Vespa. Même pas un appartement, je loue un deux-pièces à Monte Mario.

— Nolan, arrête de te traîner par terre. Evan, lève-toi !

Les jumeaux en salopette n'écoutent pas leur mère. Leur père pianote sur son portable. Le téléphone de la mère sonne, elle se détourne pour répondre.

Elle ferme les yeux une seconde. À cet instant précis, une femme passe avec un bébé sharpeï à la peau plissée que les petits garçons regardent avec des yeux ronds. Ils profitent de l'inattention de leur mère pour courir après le chiot en chaloupant sur leurs guibolles à cause du roulis du bateau. Ensuite, tout se passe très vite. La maîtresse du chiot le soulève du sol pour descendre l'échelle qui mène au pont inférieur. Les jumeaux s'arrêtent, dépités. Salopette rouge commence à descendre maladroitement l'échelle de fer, au risque de se rompre le cou. Salopette bleue s'approche de la rambarde qui sépare les passagers de l'océan et se glisse dessous. Leurs parents n'ont rien vu. Je donne instinctivement un coup de pied au père, en face de moi, il sursaute et me dévisage comme si j'étais folle. Pas le temps de parler, je désigne des deux mains ses enfants en danger et nous fonçons chacun au secours d'un jumeau. J'attrape Salopette bleue par un pied alors qu'il se tortille sous la rambarde au bord du vide. Ma peur décuple mes forces, il résiste, mais je le tire pour le ramener sur le pont du bateau, à l'abri des vagues noires qui cognent la coque. Je me retourne, haletante. Le père de Salopette rouge le tient serré contre lui, l'enfant se débat mais il est sain et sauf.

— Il a raté une marche, je l'ai chopé par une bretelle. J'ai eu la peur de ma vie, dit-il.

— Mamaaaaan ! brame Nolan en tentant d'échapper à son père.

— Mamaaaaan ! répète Evan en tirant sur mon bras.

La mère se retourne, fronce les sourcils.

— Qu'est-ce que vous faites ? Voulez-vous lâcher mes enfants ?

La fureur manque de m'étouffer.

— Sans moi, l'un tombait dans l'océan et l'autre s'écrasait en bas de l'escalier. Vous devriez me remercier, au lieu de m'engueuler !

Elle pâlit, rempoche son téléphone, se précipite vers les bambins et écarte les bras pour les serrer contre elle. Ils se faufilent sous son aile. Ils l'ont échappé belle. Le père me tend la main.

— Je m'appelle Gabin, comme l'acteur.

— Je m'appelle Chiara, comme le second prénom de ma mère. Quel acteur ?

— « La vie, l'amour, l'argent, les amis et les roses, on ne sait jamais le bruit ni la couleur des choses, c'est tout c'que j'sais ! Mais ça, j'le sais ! »

— Pardon ?

— Vous connaissez forcément Jean Gabin. « Le flinguer comme ça, de sang-froid, sans être tout à fait de l'assassinat, y aurait quand même comme un cousinage. » Non ? « Quand on mettra les cons sur orbite, t'as pas fini de tourner. » Même pas ? Vous n'aimez pas le cinéma ?

— Je connais les acteurs italiens, pas les vôtres.

— Vous êtes des imbéciles ! crie la mère des salopettes en les secouant comme deux bébés pruniers. Vous vous rendez compte ?

— Tout va bien, ils sont sains et saufs, dit Gabin d'une voix calme, au lieu d'enlacer sa femme pour l'apaiser.

— Non, tout ne va pas bien ! hurle-t-elle. Si j'avais débarqué sans eux, je serais morte de chagrin et mes parents m'auraient tuée après !

— Ils ne risquent plus rien, dis-je.

Je me tourne vers le père.

— Il doit falloir faire attention tout le temps, avec ces diablotins ?

— Je ne sais pas, je n'ai pas d'enfants, répond-il.

J'écarquille les yeux.

— Vous n'êtes pas leur père ?

— C'est la première fois que je les vois. Vous avez shooté dans mon tibia, je vais boiter pendant des jours. Quand j'ai vu ce gosse en danger, j'ai foncé.

— Leur père s'est barré au Népal, souffle la mère. Ce salaud m'a plaquée pour aller fumer des joints.

— Mais vous avez le même bracelet ! dis-je en désignant leurs poignets.

C'est un hasard. Les perles de Gabin sont noires à reflets pourpres, celles de la mère des jumeaux d'un beau rouge profond.

— Mon ex me l'a offert quand j'étais enceinte, il paraît que les escarboucles protègent les nouveau-nés. Je le garde par superstition, assure-t-elle.

— Le grenat est la pierre sacrée des Indiens d'Amérique, c'est un cadeau, ajoute « Gabin comme l'acteur ».

Je souris, parce que personne n'est mort, les jumeaux ont toute la vie devant eux pour faire des bêtises. Parce que la famille modèle n'en est pas une, qu'on croit l'herbe plus verte chez les autres. Parce que toi, Alessio, tu aurais deviné que Gabin n'était pas le père des salopettes. Tu m'aurais fait remarquer qu'ils regardaient leur mère et non l'homme assis à côté. Je me sens seule, et ce vide m'écrase alors que la trompe du bateau résonne en entrant dans le port. Des familles, des amis, des chiens attendent ceux qu'ils aiment et qui ont navigué vers eux. Je cherche un homme qui s'appelle peut-être Éclair. La nuit va tomber. Je ne sais pas où dormir. L'île est petite, huit kilomètres sur quatre. Si les hôtels sont pleins, je fais comment ?

Le bateau manœuvre pour accoster. La mère des salopettes sort de son sac une laisse qu'elle accroche aux bretelles de ses fils, puis nous tend sa main droite, le visage gris de peur.

— Merci est un faible mot…

L'émotion la submerge.

— Je m'appelle Urielle, dit-elle. C'est un prénom celte. Je suis *grèke*.

— C'est là que les Athéniens s'atteignirent, dit Gabin pour la faire rire.

Elle sourit faiblement sans lâcher la laisse.

— Pas grecque de Grèce, *grèke* de Groix. On appelle ainsi les habitants de l'île à cause de la cafetière, *grek* en breton, qui réchauffait les pêcheurs des thoniers au temps de la grande pêche. On dit aussi les Groisillons. Je suis née ici, je vis à Paris, juste à côté du Bataclan. Là, je viens en week-end chez mes parents.

Le Bataclan du Paris blessé est devenu un repère comme la tour Eiffel ou le Louvre. Elle nous désigne du doigt.

— Vous êtes ensemble ?

Je ris malgré l'angoisse qui m'étreint depuis hier soir. Je la croyais en couple avec Gabin, elle nous imagine en duo.

— À vrai dire, on ne se connaît pas. Je m'appelle Chiara Ferrari, aucun rapport avec les voitures. J'habite Rome.

— Je m'appelle Gabin Aragon, aucun rapport avec le poète. Je suis corse. Et romancier, je viens me documenter pour écrire un livre sur l'île.

Les passagers rassemblent leurs affaires, les enfants piaillent, les chiens aboient, il faut débarquer.

— Vous avez des amis ici ou vous êtes à l'hôtel ? questionne Urielle.

— Je n'ai rien réservé, dis-je. Je vais me renseigner à l'office du tourisme.

— Mes parents ont une grande maison, pas question que tu ailles ailleurs !

— Ils louent des chambres ?

— Ils remercient celle qui a sauvé leur petit-fils Evan. Ne refuse pas, je me sentirais offensée. Et toi ? demande-t-elle à Gabin.

— Je suis comme les escargots, j'ai ma maison sur mon dos, plaisante-t-il en désignant son sac. J'ai loué un bungalow au camping des Sables rouges, le temps de faire du repérage et d'interviewer les gens qui accepteront de me répondre.

— Je t'invite à dîner ce soir à Port-Lay, on va t'aider. Je passe te chercher en voiture vers 20 heures ? Sans toi, Nolan aurait pu se tuer.

Elle se mord la lèvre inférieure. Ses mains tremblent.

— Je vais louer un vélo, dit Gabin.

— La côte qui descend chez nous sera dure à remonter après le dîner de ma mère, je te préviens. Tu devrais accepter mon offre.

Il capitule. Ils se donnent rendez-vous devant Le Sémaphore de la Croix.

Île de Groix, Port-Tudy

Nous débarquons, Gabin se dirige vers Coconuts, une boutique de location de vélos. Urielle tend la laisse des jumeaux à une femme qui lui ressemble, avec trente ans de plus, et embrasse un homme en vareuse rose délavé. Je reste en retrait. Celui que je cherche se trouve peut-être sur ce quai bondé à cet instant, accueillant sa famille qui ignore tout de mon existence.

— Bienvenue sur le caillou, mes korrigans ! dit la mère d'Urielle en souriant largement à ses petits-enfants.

— J'ai détaché la laisse le temps de la traversée, quand j'ai eu un coup de fil du studio. Je n'aurais jamais dû répondre au téléphone ! Ils m'ont échappé, et ça a failli très mal tourner, souffle Urielle, encore sous le choc. Chiara a sauvé Evan. Je l'ai invitée à dormir à la maison.

— *Aïe, toui !* Oh mon Dieu ! Merci ! s'exclame la femme en étreignant les jumeaux qui se tortillent pour lui échapper. Je suis Rozenn, voilà mon mari Dider.

— Je les ai lâchés du regard une seconde !

— Une seconde suffit, nous sommes bien placés pour le savoir, murmure Rozenn avec une gravité soudaine. On va s'arrêter au bourg et allumer un cierge pour remercier le ciel.

Nonna Ornella aussi allumait des cierges à Rome, jusqu'au jour où ils ont remplacé les bougies par des cierges électriques. Elle s'est alors fâchée avec le curé et a décrété qu'elle ne donnerait plus rien à la quête. Mais chaque mois, elle glissait anonymement une enveloppe dans la boîte aux lettres du presbytère.

Nous nous entassons dans une petite voiture française qui sent le chien mouillé. Les parents sont à l'avant, j'ai mon sac et Evan sur les genoux, Urielle a Nolan et son ordinateur sur les siens. Tandis que l'automobile peine à monter la côte, elle se baisse vers moi et chuchote :

— Tu vas faire la connaissance de ma grande sœur Oanelle. Quand elle avait trois ans, avant ma naissance, un jour que maman s'occupait du jardin et que papa bricolait, Oanelle s'est penchée à la fenêtre du premier étage, et elle est tombée. On habitait au village du Méné à l'époque. Son futur s'est écrasé sur la terrasse en même temps que sa tête fragile de petite fille. Depuis, elle n'est ni heureuse ni malheureuse, elle est sans émotions, obéissante, dépendante, infantile. Elle ne parle plus, elle chante, imite n'importe quelle voix à la perfection. Elle ne sait pas lire une partition, mais elle a l'oreille absolue. Elle ne s'exprime qu'à travers les mots des chansons. Arrête de te trémousser, Nolan, tu me fais mal !

Le petit garçon explose de rire en déséquilibrant son frère qui se tortille sur mes cuisses. La voiture arrive sur une place, s'arrête devant un monument aux morts, près d'un manège, de la boutique Bleu Thé et de la librairie L'Écume.

Urielle me montre le clocher de l'église, surmonté d'un thon grandeur nature, parce que l'île, m'explique-t-elle, a été jusqu'en 1940 le premier port de pêche français de thon germon. Les jumeaux trottinent vers la nef et s'approchent des cierges allumés.

— On ne touche pas ! rugit Rozenn.

Ils s'immobilisent docilement. Elle leur donne une pièce à chacun, qu'ils glissent dans le tronc, mais c'est elle qui allume les cierges.

— *Trugaré man doui*, merci mon Dieu, pour mes korrigans, dit-elle avec ferveur.

Un ex-voto de bateau se balance au-dessus de nous. L'homme que je cherche est sûrement déjà entré dans cette église pour un baptême, un mariage ou un enterrement. S'il a quitté l'île, je suis venue pour rien.

— J'ai oublié de poster ma lettre, poursuit Rozenn. Tu t'en charges, ma chérie ? Je garde les petits.

Je marche avec Urielle vers le bas du village. La grande boîte aux lettres jaune a deux fentes : à gauche, du côté du cœur, « Morbihan 56 », à droite « Autres départements et étranger ».

— À Rome, nos boîtes sont rouges, dis-je, surprise.

— Les françaises sont jaunes depuis les années 1960, avant elles étaient bleues. Elles sont fabriquées à Nantes. Je le sais parce que ma mère travaille à la poste. D'ailleurs, chaque pays a sa couleur : elles sont jaunes en Allemagne, vertes en Chine, bleues aux États-Unis, rouges en Angleterre et chez toi.

La lettre glisse dans la boîte.

Île de Groix, Port-Lay

Le père d'Urielle se gare devant une maison qui surplombe un petit port où dansent des barques de pêche. Je descends de la voiture, soulagée d'avoir trouvé un endroit où dormir. Je me suis couchée tard après la bombe lancée par ma marraine hier, mes yeux papillotent.

— Oanelle, nous sommes rentrés ! crie gaiement Rozenn.

Une gracieuse jeune femme au visage figé ouvre la porte. Urielle nous présente, précise que j'arrive de Rome. Oanelle tourne les talons et disparaît dans les profondeurs de la maison. Une voix masculine monte du salon : « C'est moi, c'est l'Italien, je reviens de si loin, la route était mauvaise. Ouvre-moi, ouvre-moi la porte, *io non ne posso proprio più.* »

— C'est Oanelle, me souffle Urielle. Elle imite Serge Reggiani pour toi, c'est sa façon de te souhaiter la bienvenue. Mes parents étaient fans, ils prenaient le bateau pour le continent chaque fois qu'il donnait un concert, et ils emmenaient ma sœur.

La pâle jeune femme continue à chanter: «Je reviens au logis, j'ai fait tous les métiers, voleur, équilibriste, maréchal des logis, comédien, braconnier, empereur et pianiste.» Je repense aux métiers que j'inventais autrefois pour le père qui me souriait sur les photos. Je ne lui ressemble pas: il était beau, je suis quelconque. Il était blond, je suis brune. Il était grand et robuste, je suis mince. Il avait le regard azur, le mien est chocolat, avec une tache bleue bizarre au milieu de l'œil droit – à l'école, on se moquait de moi à cause de ça. Alors qu'Urielle, elle, ressemble à Dider. Ils ont les mêmes yeux en amande, la même bouche ourlée, le même sourire. Oanelle ressemble plutôt à Rozenn, sa mère. Si j'avais été le portrait de son mari, est-ce que Livia m'aurait aimée? Est-ce que je ressemble au marin de Groix?

Mon regard tombe sur la boîte aux lettres rouge et bleu, en forme de bateau, avec une petite porte ronde fermée par un loquet. Une étiquette indique le nom des habitants en lettres rondes: Tonnerre. Mon cœur rate deux battements puis galope pour retrouver son rythme habituel. Le nom de l'homme que je cherche ressemble à Éclair. Je regarde Dider qui porte les bagages de sa fille. Il ne s'appelle pas Éclair, mais Tonnerre. J'ai la tête qui tourne. Toi, tu en déduirais quoi, Alessio? Le hasard fait-il bien les choses? Suis-je tombée dans la gueule du loup?

La phrase qu'a prononcée Viola hier soir m'obsède : « Ça vaut mieux pour tout le monde. » Mon cœur se chiffonne sous la main d'un géant en colère. Il aurait mieux valu pour tout le monde que je n'existe pas.

Île de Groix, Port-Lay, Boîte aux lettres rouge et bleu

La Boîte, imperturbable, voit les habitants de la maison passer devant elle. Dider, le chef de famille, reçoit les factures, les impôts et les versements pour sa récente retraite. Il a reçu autrefois des lettres de sa maîtresse, avant l'ère des SMS et des mails. Jusqu'au jour où Rozenn en a ouvert une. Les filles étaient toutes petites, la maison a résonné de cris et de pleurs, puis la paix est revenue. La Boîte est intervenue pour calmer le jeu, elle a retenu longtemps, coincée dans sa partie supérieure, à l'abri des regards, une lettre envoyée par cette femme pour recoller les morceaux avec Dider. Quand elle l'a relâchée au milieu du courrier, Dider ne l'aimait déjà plus, les humains sont inconséquents.

La Boîte rouge et bleu aime, de façon inconditionnelle, William le Rouquin Marteau, le menuisier de marine roux qui l'a fabriquée. Elle a grandi à Port-Tudy, dans l'atelier de son créateur, près du nouveau restaurant Les Fumaisons, approvisionné par les pêcheurs locaux. La Boîte est aussi attachée à Anne, la femme du menuisier ; à leurs enfants ; à tout ce que William construit ou répare – bateaux, maisons, objets. Avec une préférence pour les autres Boîtes, ses jumelles, bateaux de bois de différentes couleurs éparpillés dans les villages. Pas aux normes officielles, mais l'île est hors norme. La Boîte ne ferme pas à clef, elle a un loquet de bois. Personne ne vole ici, on peut avoir confiance.

Les humains ont chacun leur façon de prendre le courrier. Depuis qu'il a rompu avec sa maîtresse, Dider laisse sa femme s'en charger. Rozenn l'ouvre en grand, jette les pubs, lit les cartes postales, garde les factures. Oanelle l'entrebâille comme si un monceau de lettres allait en jaillir, alors qu'elle ne reçoit que sa pension d'invalidité. Il n'y a rien pour Urielle, depuis qu'elle vit à Paris.

Le jour où le premier courrier pour la retraite de Dider est arrivé et lui a flanqué un coup de vieux, la Boîte a atténué le choc en mettant sur le dessus un faire-part de naissance. Si elle reçoit un faire-part de deuil bordé de noir, elle bloque son loquet et retient sa porte pour préparer son destinataire à la mauvaise nouvelle. Elle sait la joie qui se désagrège contre les chagrins implacables.

Ce soir, elle a un étrange pressentiment quand l'étrangère sourit en l'apercevant, puis frissonne en déchiffrant le nom de Tonnerre. Comme si elles avaient un lien invisible, comme si une force étrange allait les fracasser l'une contre l'autre.

Chatou, treize ans plus tôt

Tu t'appelles Charles. Tu n'es jamais allé en Italie ni en Bretagne. Tu ne connais pas Chiara Ferrari. Il y a statistiquement peu de chances que vos routes se croisent un jour. Tu vas bientôt fêter tes treize ans.

On sonne à la grille.

— Vous y allez, les garçons ? lance Alice, ta mère, à la cantonade.

Tu grognes :

— Je lis !

Ton frère Paul, qui vient d'avoir dix-huit ans, proteste :

— Je passe mon bac dans deux mois, je bosse !

Vous habitez avec votre mère, dans le bas de la ville, une vieille maison dans son jus, le genre qu'un agent immobilier décrit comme « à rénover ». Tout est à refaire – électricité, plomberie, chauffage, isolation et toiture. Tu te chamailles souvent avec ton frère, mais c'est pour de faux. Il a hérité des yeux sombres de votre mère, les tiens sont clairs comme ceux du père dont vous ne savez rien. Vous grandissez sans télévision, vous ne partez pas en vacances, vous êtes élevés par une maman fantasque qui a en permanence le nez dans un livre. Vous vous promenez sur les quais de Seine, vous allez au marché les mercredis et les samedis, au cinéma, à la piscine, et, deux fois par an, en septembre et mars, à la foire à la brocante et au jambon sur l'île des Impressionnistes, juste en face. Votre mère enseigne le français à l'école Perceval, selon la méthode Steiner-Waldorf. Les élèves ont des activités artistiques et manuelles, apprennent les langues étrangères dès la primaire et la cantine est bio. Paul, en terminale, se passionne pour la photo. Toi, tu veux devenir écrivain.

Alice vous a donné les prénoms de ses poètes préférés, Éluard et Baudelaire. Elle vous a offert à chacun une bouteille de champagne Mercier de votre année de naissance, à boire le jour de vos vingt ans. Pour ses dix ans, Paul a reçu les *Œuvres complètes* d'Éluard, dans la mythique collection de La Pléiade. Au même âge, tu as eu droit aux deux tomes de *Correspondance* de Baudelaire, sur le même papier bible. Les bouquinistes de la foire de Chatou proposent en avant-première à Alice leurs « Pléiade » d'occasion. C'est une prof merveilleuse, elle cherche et trouve pour chacun de ses élèves le livre qui changera sa vie – roman, poésie, ouvrage religieux, BD, manga ou manuel technique. Elle se fie aux mots, à la musique, à la maison insolite qui surplombe le fleuve et dont elle est locataire depuis la naissance de Paul. Vous allez à l'école à pied, vous entretenez le jardin, vous êtes heureux. Chaque année, vous plantez une fleur ou un arbuste nouveau et vous le regardez pousser. Cette année, c'est une glycine bleu pâle.

Tu râles :

— Il a bon dos, ton bac.

Tu marches vers la grille dans tes Converse orange. Vous êtes la famille aux pieds bariolés, celles d'Alice sont jaunes, Paul porte un modèle montant bleu canard. Tu salues le facteur, tu rapportes à ta mère la lettre recommandée. Alice décachette tranquillement l'enveloppe. Votre nouveau propriétaire annonce qu'il ne renouvellera pas le bail. Sa mère qui vous louait la maison est morte, il vient d'en hériter.

Le choc est rude. Affolée, Alice se rue sur le téléphone. Et tombe sur le répondeur. Elle laisse un message d'une voix qu'elle s'efforce de maîtriser : « Bonjour, je viens de recevoir votre lettre. Écoutez, il y a sûrement moyen de s'arranger. Si c'est une question d'argent, je vais faire un effort. J'enseigne dans la rue d'à côté, mes fils sont scolarisés dans mon école, votre mère m'a autorisée l'an dernier à repeindre entièrement la maison à mes frais, vous ne pouvez pas nous chasser maintenant. Nous avions un accord tacite, nous nous faisions confiance. Rappelez-moi, s'il vous plaît. Nous allons trouver un terrain d'entente. »

Elle tremble en raccrochant.

— C'est un homme raisonnable, dit-elle d'une voix qui dément ses paroles.

Le nouveau propriétaire vient un soir sans prévenir, il veut récupérer sa maison. Alice plaide votre cause, il n'écoute rien, s'obstine, vous devez partir. C'est à ton tour de faire le ménage, vous fonctionnez par roulement. Perturbé par la visite, tu branches l'aspirateur dans la mauvaise prise, les plombs sautent et tu plonges le rez-de-chaussée dans le noir. Vous êtes habitués, ça arrive tout le temps, il y a des lampes de poche disséminées à travers la maison. Alice cherche calmement la plus proche.

— Vous avez un briquet sur la cheminée à votre droite, vous pouvez l'attraper ? demande-t-elle au propriétaire.

— Lumière, dit-il d'une voix sourde.

— Un plomb a disjoncté, j'ai déjà alerté votre mère à ce sujet, l'électricité n'est pas aux normes.

— Lumière, répète-t-il.

Le propriétaire halète dans le noir. Tu trouves une lampe. Tu diriges le faisceau de lumière vers lui.

L'homme, le visage crayeux, respire à petits coups rapides en hyperventilant. Alice te crie de repérer le fusible incriminé et de rallumer le compteur pendant qu'elle s'occupe du proprio prostré.

— Vous êtes cardiaque ? Qu'est-ce qui se passe ?

Il ne répond pas, pétrifié.

À la seconde où la lumière inonde la pièce,

l'homme redevient arrogant et vindicatif. Il vous accuse de mal entretenir son bien, hurle que le noir est une saloperie dangereuse, puis s'en va en réitérant ses menaces. Il envoie un mail et une seconde lettre recommandée qui renouvelle son injonction. Il est dans son bon droit, texte de loi à l'appui, il donne une date butoir.

Un voisin dit à Alice devant toi que le type est un marchand de sommeil qui possède plusieurs immeubles à Paris. Tu comprends qu'il vend des comprimés aux gens qui ont des insomnies. Elle t'explique qu'il loue cher des chambres minuscules et insalubres à des familles dans le besoin ou en situation irrégulière. C'est un trafiquant, un criminel. Votre maison lui appartient.

Alice panique. Paul est majeur depuis trois mois, elle n'a plus que toi à charge, mais elle tient à ce que vous fassiez tous les deux des études supérieures. Elle refuse de partir, votre vie est ici. Déboussolée à l'idée d'être expulsée, elle se noie dans le travail, ne dort plus. La maison était son assise, elle suffoque sans ses murs qui ont survécu des siècles. Elle fume trop, boit trop de café, délaisse ses livres bien-aimés et passe ses nuits sur des forums et des blogs juridiques. On la balade, un avocat véreux exige une avance conséquente, puis laisse tomber l'affaire. Elle souffre de brûlures d'estomac qui se calment dès qu'elle mange, puis reprennent de plus belle. Pour soulager ses migraines, elle se bourre d'aspirine qui accentue ses douleurs d'estomac. Elle perd son énergie et ses forces vives dans la bataille.

Tu veux la consoler, elle adore danser, elle vous a appris la valse et le rock, alors parfois le soir tu danses avec elle et elle rit comme avant. Jamais longtemps, mais quand même.

Un soir, tu rêvasses, lové dans un pouf géant, Paul se balance sur le rocking-chair, votre mère est nichée dans un fauteuil club au cuir éraflé, votre mobilier est d'occasion et vient de la foire. Alice lit à voix haute le poème d'Éluard « La terre est bleue comme une orange ». Soudain, elle se plie en deux, et sa voix se brise en gouttelettes de sang qui maculent le livre de La Pléiade, trésor caché au fond d'un carton de vieux livres rapportés de la dernière foire.

Le médecin appelé en urgence diagnostique un ulcère perforé et l'hospitalise. Paniqués, ton frère et toi regardez s'éloigner l'ambulance. Paul se précipite sur Internet, lit des phrases terrifiantes comme « la rupture d'un ulcère à l'estomac engage le pronostic vital » ou « lors d'une hémorragie digestive, le patient se vide de son sang ». Tu regardes par-dessus son épaule, mais tu ne poses aucune question, tu as trop peur des réponses. Vous refermez le livre sur le sang qui sèche. Après « L'aube se passe autour du cou un collier de fenêtres », les quatre derniers vers, saupoudrés d'étoiles rouges, sont devenus illisibles.

Alice passe une semaine en réanimation, tu n'as pas le droit de lui rendre visite, tu as moins de quinze ans. Tu repeins sa chambre en bleu et en orange à cause du poème, pour lui faire une surprise. Tu espères qu'elle sera rentrée pour ton anniversaire. Les silences dans la maison de Chatou s'épaississent comme la crème à la vanille dont Alice ne nappe plus vos gâteaux.

Rome, aujourd'hui

Après avoir garé sa Fiat 500 en travers du trottoir, Livia appuie un doigt rageur sur la sonnette de son amie d'enfance. Au troisième étage, Viola se penche par la fenêtre puis recule vivement. Trop tard, Livia l'a vue. Elle hurle :

— Ouvre ! Tu ne réponds pas au téléphone, mais tu vas m'ouvrir, sinon je campe en bas de chez toi.

La fenêtre se referme.

Livia allume une cigarette et s'assied devant la porte cochère. Elle a tout son temps. Bouleversée par le drame de la veille, elle n'est pas allée au bureau ce matin. Elle a tenté en vain de joindre sa fille Chiara, lui a laissé des messages. Elle repense à cette nuit sur l'île d'Elbe, il y a vingt-six ans, au limoncello traître, à sa jeunesse massacrée par la Vespa jaune. Elle songe à la piazza del Popolo qu'elle évite depuis, quitte à faire de longs détours. La porte s'ouvre enfin sur Giacinto, l'ancien carabinier, crinière blanche, chemise impeccable. Il a dans les bras le panier du déjeuner de ses filles qui travaillent plus bas dans la rue. Il leur apporte tous les jours le repas que leur mère Maria prépare avec amour. Livia connaît chaque habitant du *palazzo*, elle y a grandi, elle a déménagé quand elle s'est mariée. Alors que Viola y vit toujours avec sa mère, une sorcière toute-puissante qui lui impose ses règles et fait fuir les hommes.

Giacinto tient galamment la porte à Livia. Elle entre, grimpe les marches quatre à quatre, tambourine chez Viola qui, de guerre lasse, ouvre.

— Pourquoi ? dit Livia.

Viola hausse les épaules, lèvres pincées, poings serrés. Elle la précède dans le couloir qui mène à sa chambre, puisque sa mère règne en matrone dans le salon. Les deux amies d'enfance pénètrent dans la pièce où Viola dort encore dans son lit à une place de petite fille. Les posters de son adolescence ont laissé des traces blanches sur le mur rose.

— Je hais cette chambre, dit-elle avec hargne. Je hais ma vie, ma mère, toi et Mattia.

— Gruppo ne quittera jamais sa femme, répète Livia.

— Je t'interdis de l'appeler comme ça !

Quand Viola sort avec son amant marié, père de quatre enfants, elle raconte à sa mère qu'elle sort avec *un gruppo di amici*, un groupe d'amis, pour noyer le poisson.

— Je ne te pardonnerai jamais de m'avoir trahie devant Chiara, gronde Livia.

— Je l'ai fait exprès, admet Viola. Je n'ai pas raté mon coup.

— Je t'ai choisie comme marraine. Je te faisais confiance.

— C'était ta façon de m'acheter.

Livia ne reconnaît plus son amie.

— Viola, pourquoi ? On se connaît depuis la maternelle, on est inséparables. On s'est protégées l'une l'autre à l'école. Tu es venue dormir à la maison le soir où ton père s'est suicidé. Tu as été témoin à mon mariage. Tu sanglotais encore plus fort que moi à l'enterrement. Tu m'as tenu la main quand j'ai accouché. Nos vies sont imbriquées.

Viola, farouche, hausse le ton.

— Ta vie est imbriquée à la mienne, pas l'inverse ! À l'école tout le monde t'aimait, pendant que moi, j'étais ton ombre, ton faire-valoir. Je t'aidais à réviser, je t'expliquais ce que tu n'avais pas compris, et le jour de l'examen je perdais tous mes moyens et tu me dépassais. J'étais la seconde, la moins jolie, la moins drôle, la moins intéressante. Je te détestais à cause de ça, du plus loin que je m'en souvienne ! Mon propre père te préférait à moi, il souriait quand tu venais chez nous, il devenait un autre. Il s'est suicidé en nous plaquant maman et moi. Si tu avais été sa fille, je parie qu'il aurait tenu à la vie ! Et après tu as épousé l'homme dont j'étais amoureuse, et tu as eu le culot de me demander d'être ton témoin !

— Quoi ?

Viola la foudroie du regard.

— Vous étiez si occupés à vous bécoter que vous ne l'avez pas vu. C'est moi qui te l'ai présenté, tu as oublié ? Il me plaisait, il m'a invitée à dîner. Comme j'étais une cruche coincée, je t'ai demandé de m'accompagner, et tu me l'as volé ! Tu as déboulé et il a oublié que j'existais. Tu l'as hypnotisé. On s'est assis ensemble dans cette pizzeria de la piazza San Cosimato et je suis devenue invisible. Je serais tombée raide morte sous la table, vous ne l'auriez même pas remarqué.

Livia est abasourdie.

— Tu ne me l'avais jamais dit !

— À quoi ça aurait servi ? Il n'avait d'yeux que pour toi, ce con ! Il t'a demandée en mariage quinze jours plus tard. Il s'est même fait écraser en te regardant, par ta faute !

Livia vacille sous la violence des mots.

— J'aurais aimé avoir des enfants de lui. À cause de toi je n'en aurai jamais. Tu as Chiara, mais tu la délaisses… Si je n'avais pas été là pour l'emmener au cinéma, au cirque, ou à la Villa Borghèse, elle aurait grandi devant le cadre en argent posé sur ton buffet, sous le regard de ton mari parfait qui batifole au paradis avec des angelottes sexy !

— Tu blasphèmes.

— J'ai vu clair dans ton jeu, hier. Tu m'as volé l'homme que j'aimais. Tu m'as empêchée de fonder une famille. Et tu oses suggérer maintenant à Mattia de me quitter !

Livia secoue la tête.

— J'ai voulu t'empêcher de souffrir. Gruppo te ment.

— Ne l'appelle pas comme ça ! hurle Viola.

— Je l'ai croisé piazza Navona avec une très jolie jeune femme. Il l'embrassait.

Viola retient son souffle.

— Sur la bouche, et passionnément, poursuit Livia avec une cruauté proportionnelle à sa colère. Je me suis approchée, il a sursauté comme un lapin pris dans les phares d'une Alfa Romeo. Il m'a suppliée de ne rien te dire. Il ne quittera jamais sa femme, mais tu étais seule dans son cœur, en dehors d'elle. Ce n'est plus le cas. Il vous trompe toutes les deux.

— Je ne te crois pas ! glapit Viola, hors d'elle. Mattia m'aime, sa femme est malade, c'est par pitié qu'il ne veut pas la quitter. Tu es responsable de la mort de ton mari. Tu es une mauvaise mère pour Chiara. Tu es une piteuse amie. Tu croyais que j'allais garder ton secret minable toute ma vie ? J'ai tenu ma langue trop longtemps.

— Tu as vraiment conservé ma lettre ? demande Livia avec un calme glaçant.

— Je ne jette rien. Tu as écrit noir sur blanc : « Ça vaut mieux pour tout le monde. » Ta fille va adorer.

— Donne-la-moi ! rugit Livia.

Elle se jette sur le bureau, ouvre les tiroirs et fouille. Viola ricane.

— Je l'ai cachée. Retourne la maison autant que tu veux, tu ne la trouveras pas.

— J'ai toujours été là pour toi, renchérit Livia. Quand ton père a fait une dépression après avoir perdu son travail, quand il s'est brûlé la cervelle, quand tu étais en vrac.

— Bienvenue au pays des médiocres, crache Viola. On est un peu serrés, il y a foule, mais plus on est de fous plus on rit.

Les deux amies d'enfance se toisent. La porte s'ouvre, la mère de Viola entre dans la pièce et les surprend, comme elle les prenait jadis en flagrant délit quand elles se maquillaient ou qu'elles fumaient.

— Vous vous disputez ? À votre âge ? Embrassez-vous, serrez-vous la main, faites la paix.

Livia quitte la pièce sans répondre et claque la porte de l'appartement derrière elle.

Île de Groix, Port-Lay

Le chien des parents d'Urielle, un cocker noir et blanc, s'appelle Ponant, en hommage à Groix, l'une des îles du Ponant. Quand j'étais enfant, je suppliais ma mère de m'offrir un chien, mais Livia n'aime pas plus les animaux que les gens. L'absent magnifique avait un labrador. Sur une photo, il court avec lui le long de la plage de Fregene. Il l'avait appelé Paolo, comme son chanteur favori, Paolo Conte. Livia l'a fourgué à des amis après l'accident. Un jour, on les a croisés dans la rue, et le chien, qui ne m'avait pourtant jamais vue, s'est dirigé vers moi. Ils m'ont dit que c'était celui de mon père.

Ponant saute sur Urielle et les jumeaux, mais il sent ma réticence et me flaire en agitant la queue.

— Il attend que tu le caresses.

Je tends une main précautionneuse. Son poil est doux au toucher. Il se couche devant moi.

— Il t'a adoptée. Ce chien est sorcier. Quand j'ai présenté mon ex à mes parents, il a grondé et pissé sur ses chaussures. J'aurais dû me méfier.

J'aide Rozenn à préparer le dîner, on met le couvert pour huit : Dider et Rozenn, Urielle et Oanelle, les jumeaux, Gabin et moi. Ça semble naturel pour eux, ils sont habitués aux grandes tablées. Rozenn vient d'une famille de dix enfants, elle a cuisiné pour un régiment. Moi, j'ai passé mon enfance en tête à tête avec Livia qui n'achetait que des plats préparés. Et je déjeunais chaque dimanche avec *nonna* Ornella qui me préparait le menu favori de son fils décédé : *penne all'arrabbiata* et *ossobuco.* Je n'ai jamais osé lui avouer que je n'aimais ni l'un ni l'autre.

Urielle va chercher Gabin au camping, il arrive avec une bouteille de vin rouge de son île, du patrimonio.

— On est passés au bourg, à la cave du restaurant Le Cinquante.

Je pique un fard, j'aurais dû y penser.

— Je suis désolée, je viens les mains vides…

— C'est vous le cadeau, dit gentiment Rozenn. J'adore la gastronomie de votre pays. Vous savez cuisiner l'*ossobuco* ?

Décidément, je n'y échapperai pas.

— Vous connaissez l'Italie ? dis-je à Dider.

— Nous sommes allés en voyage de noces à Venise.

— Vous avez visité l'île d'Elbe ?

— Là où Napoléon a été exilé ? Non. Nous sommes si bien ici que c'est un arrachement de quitter le caillou.

Il s'appelle Tonnerre, il a la soixantaine, il est plus âgé que Livia. Est-il l'homme que je cherche ?

J'ai tout abandonné pour savoir la vérité. À cette heure-ci, je devrais être dans ma librairie romaine en train de conseiller les clients. Je n'ai pas prévenu mes employeurs avant de partir. Ils vont me virer, tant pis. Je ne regretterai que Valérie Lübeck, la Parisienne blonde qui repartait toujours avec un Caddie chargé de livres. Comme je ne travaille jamais longtemps au même endroit, je ne m'attache pas. Ni au travail ni en amour.

Je dors dans les bras de Marco depuis un an, mais nous sommes deux étrangers. On se parle peu, on n'a pas grand-chose à se dire. Nos peaux se rassurent, c'est tout. Il me remplacera. J'ai refusé que Marco me présente à ses parents. Je n'ai envie ni de me marier ni de m'installer chez lui. Je ne cuisine pas pour moi, pourquoi le ferais-je pour lui, alors que la *tavola calda* en bas de mon immeuble vend des plats délicieux ? Je n'ai pas non plus envie d'avoir d'enfants, ça n'a pas rendu Livia heureuse. Sur ma planète, les mères ne touchent pas leurs enfants, les pères n'existent qu'en photo, le bonheur est indécent. J'ai espéré qu'un homme m'arracherait à la tristesse et à la solitude. Marco n'y a pas réussi.

Tu me manques, Alessio. Tu es le seul que j'ai prévenu et tu m'as encouragée à partir. J'ai quitté Rome, planté mon patron aux mains baladeuses, oublié que je devais dîner ce soir avec Marco à la Losteriacarina chez Alberto et Lori. J'ai abandonné mon petit pied de basilic. Il m'attendra, embaumant la cuisine, confiant. Puis sa terre va se craqueler. Ses feuilles vont sécher, sa tige va s'étioler, il va se rabougrir. Personne n'a un double de mes clefs, personne ne l'arrosera. Pardon, petit basilic. C'est pour ça que je n'ai pas d'enfants, je serais une mauvaise mère, ça doit être de famille.

Rozenn dépose un plat fumant au milieu de la table, Urielle se lève et l'enlace pour la remercier. Ces Tonnerre n'arrêtent pas de s'étreindre.

— La cotriade est une spécialité groisillonne, explique Rozenn. J'ai mis du merluchon, de la vieille, du lieu, du grondin, une tête de congre et des pommes de terre. Puis j'ai mouillé au vin blanc. Prenez donc de la vinaigrette.

Oanelle, le visage impassible, tend son assiette. Chez Livia, on mange pour ne plus avoir faim, on se nourrit, mais on ne savoure pas. Manger est une contrainte utile, comme se laver les dents, dormir ou se vêtir. Et on le fait en silence. Marco, au contraire, n'arrête pas de parler à table. Il n'aime que le *calcio*, il est pour la Roma, il exècre les *tifosi* de la Lazio, le club ennemi. Il n'a jamais ouvert un livre et s'en félicite. Les journaux ne lui servent que pour emballer les poissons qu'il pêche l'été au lac de Bracciano avec ses copains du bureau. C'est un type bien, solide. S'il avait cessé de vouloir m'épouser, on aurait pu faire un bout de chemin ensemble. Je ne suis pas un cadeau, j'en suis consciente. Il vaut mieux pour lui que notre histoire se termine comme ça. Rome est remplie de jolies *ragazze* qui repasseront avec amour les maillots jaune et rouge de son club de foot, qui lui prépareront des *pizze* dantesques avant de se lover contre lui pour regarder le match.

— Chiara, donnez-moi votre assiette. Vous aimez le poisson, j'espère ?

— J'aime tout, dis-je.

Je mens par politesse. Je n'aime pas le poisson, j'en mange rarement, c'est une denrée de luxe à Rome.

Dider balaie la table du regard.

— Vous pouvez me passer le pain ? demande-t-il en posant une seconde sa main sur mon bras.

Je sursaute, interloquée. Le père d'Urielle m'a touchée. Ma peau brûle là où ses doigts sont entrés en contact avec elle. Personne ne trouve son geste déplacé. Il attend son pain en souriant. Je l'imagine, roulant dans les bras de Rozenn pour donner naissance à Urielle, qui a donné la vie à Nolan et Evan. Dider est-il mon père ?

— Tu es un ange, maman, s'écrie Urielle qui se sert copieusement.

— La cuisine embaume depuis hier, renchérit Dider en serrant l'épaule de sa fille avec sa grosse pogne. Ce n'est pas du poisson, c'est de l'amour.

Urielle trouve son geste normal. Oanelle chante avec une voix d'homme en roulant les *r* : « *Plaisirrr d'amourrrr, ne dure qu'un un moment, chagrrrin d'amour, dure toute la vi, i, e.* » Puis elle finit son assiette, indifférente. La cotriade fume dans la soupière. Les jumeaux sortent de table et courent jouer dans le jardin. Ponant pose une patte sur ma jambe.

— Donc, vous êtes écrivain ? dit Dider à Gabin. Je vous ai peut-être lu, vous vous appelez comment ?

— Je ne publie pas sous mon nom, je suis ce que les Anglais appellent un écrivain fantôme et les Français un prête-plume : j'écris pour des romanciers connus. Vous seriez étonné ! Contractuellement, je n'ai même pas le droit de les citer.

— Pourquoi ce choix ? demande Rozenn. Vous préférez rester dans l'ombre ?

— Je préfère gagner ma vie plutôt que de tirer le diable par la queue.

— Comment ? dis-je, croyant avoir mal entendu.

Les religieuses de mon école catholique ne m'ont pas appris cette expression.

— Ça veut dire avoir du mal à boucler ses fins de mois, explique Gabin.

— Vous avez un beau métier. Je ne pourrais pas vivre sans livres, déclare Dider en désignant sa bibliothèque.

Gabin se lève, examine les rangées de romans et revient s'asseoir, sourire aux lèvres.

— Vous avez trois livres que j'ai écrits. Ne me demandez pas lesquels. Vous m'avez lu.

Tout le monde rit, sauf Oanelle.

— Je lève mon verre aux mots qui vibrent, aux Bretons qui pulsent et à la cotriade ! claironne Gabin.

Chatou, treize ans plus tôt

Tu t'appelles Charles, tu as treize ans aujourd'hui. Tu connaîtras peut-être un jour l'Italie ou la Bretagne, tu as la vie devant toi.

Tu attends que ton frère rentre de l'hôpital. Paul a apporté à Alice une lettre où tu lui écris que tu as rangé ta chambre, tondu la pelouse, que tu as classé tes livres de poche par ordre alphabétique, que ta vie n'a plus de couleurs sans elle : la maison est devenue grise.

Tu as acheté deux choux à la crème pour remplacer ton gâteau d'anniversaire. L'heure des visites est passée, ton frère est en retard. Tu as mis le couvert. Vous ne mangez que des saucisses depuis une semaine, il suffit de les faire chauffer dans une casserole, ça remplit l'estomac, ça a un faux air de vacances. Quand vous allez en famille à la foire à la brocante et au jambon, Alice prend un sandwich au foie gras avec un verre de sauternes, ton frère et toi optez pour des saucisses et une gaufre au Nutella.

La grille s'ouvre. Tu allumes le gaz sous la casserole, tu y plonges les francforts. Tu sors à la rencontre de ton frère.

— Maman revient bientôt ?

Puis tu vois l'expression de Paul. Et tes genoux ploient.

Ton aîné ne dit rien, il secoue seulement la tête, bras ballants, cœur en bandoulière, bonheur en charpie. Tu hoquettes, tes yeux s'emplissent de larmes. Paul serre les poings de rage. Tu t'enfuis dans ta chambre. Tu renverses l'étagère avec tes livres trop bien classés qu'Alice ne verra pas.

Paul te rejoint. Tu oublies la fête manquée, ton univers vole en éclats, c'est la fin du monde. Tu te jettes sur ton lit, tu enfouis ton visage dans l'oreiller. Paul s'assied près de toi. Vous restez là, sans parler, sans pleurer, momifiés. Puis, tu es pris d'un hoquet incoercible. Tu bois un verre d'eau à l'envers et répètes dix fois de suite sans respirer « j'ai le hoquet, Dieu me l'a fait, je ne l'ai plus, merci Jésus », mais rien n'y fait. Tu en veux à mort à Dieu.

Soudain Paul fronce le nez :

— Je rêve ou ça sent le brûlé ?

— Les saucisses !

Vous foncez à la cuisine. L'eau s'est évaporée, le fond de la casserole a cramé, la pièce est enfumée, l'odeur vous prend à la gorge. Vous ouvrez les fenêtres. Vous n'avez pas faim, mais vos corps en pleine croissance réclament de la nourriture, alors vous avalez les saucisses charbonneuses et rabougries. Paul, pour te dérider, en trempe une dans le chou à la crème et prétend que c'est délicieux. Tu l'imites. C'est infect. Paul vomit plus tard dans le silence de la nuit. Tu le rejoins, tu es incapable de dormir seul. Vous vous couchez dans le même lit, dos à dos, épaules contre épaules, jambes contre jambes.

— Tu pues des pieds, grommelle Paul.

Tu rétorques :

— Tu pues du bec.

— Ils m'ont dit d'apporter une robe pour habiller maman demain matin, chuchote Paul.

Tu écarquilles les yeux, saisi d'un espoir immense.

— Une robe ? Mais alors, elle n'est pas…

— Dans le cercueil, t'interrompt brutalement ton frère.

Le mot te terrasse. Tu penses au vers de Victor Hugo : « L'œil était dans la tombe et regardait Caïn. »

— Je prendrai la noire avec la dentelle sur les épaules, reprend Paul dans l'obscurité.

— Pourquoi pas la rouge avec les manches trois-quarts ?

— Ils veulent du noir.

— Elle préfère le rouge.

Quelques jours plus tard, à l'église Notre-Dame

de Chatou, à la sortie du pont, Paul s'avance vers le micro et lit d'une voix rauque les mots d'Éluard : « Je t'aime pour toutes les femmes que je n'ai pas connues, je t'aime pour tout le temps où je n'ai pas vécu, pour l'odeur du grand large et l'odeur du pain chaud, pour la neige qui fond, pour les premières fleurs. » À sa suite, tu marmonnes une strophe de Baudelaire en bouffant la moitié des mots : « Qu'aimes-tu donc, extraordinaire étranger ? J'aime les nuages… les nuages qui passent… là-bas… là-bas… les merveilleux nuages… »

L'église est pleine à craquer de collègues, de parents d'élèves, d'élèves, de voisins. Mais comme Alice n'avait pas d'autre famille que vous, personne n'a songé à organiser une réunion après la messe. Les gens comptaient sur votre père sans savoir que vous ignorez son nom.

Alice, dans sa robe rouge à manches trois-quarts, les pieds chaussés de ses Converse jaunes, repose désormais près de ses parents, au cimetière où elle vous emmenait réciter des poésies à chaque Toussaint. Vous êtes tous les deux seuls devant sa tombe – famille aux pieds bariolés, amputée de son pilier. Les autres n'ont pas voulu s'imposer par discrétion. « Nous ne nous verrons plus sur terre, odeur du temps, brin de bruyère, et souviens-toi que je t'attends », murmure Paul à votre mère.

Il se tourne vers toi, te pose les questions rituelles d'Alice :

— Tu te souviens du vrai nom d'Apollinaire ?

— Wilhelm Albert Wlodzimierz Apollinaris de Kostrowitzky, ânonnes-tu fièrement, sous le regard ébahi du maître de cérémonie engagé par Paul.

— Celui d'Éluard ?

— Eugène Grindel.

— Le prénom de Rimbaud ?

— Arthur.

— Celui d'Aragon ?

— Louis, fils naturel non reconnu de Louis Andrieux.

— Celui de Verlaine ?

— Paul.

— Je suis fier de toi.

En rentrant à la maison, vous trouvez l'avis d'expulsion dans la boîte aux lettres. Le proprio qui a peur du noir vous chasse. Vous n'avez plus ni mère ni maison.

Le lendemain matin, tu es muet, pétrifié. Assis à la table du petit déjeuner, tu ne manges pas tes céréales, tu ne bois pas ton chocolat, tu as le regard vide d'un animal empaillé. Paul, inquiet, te secoue.

— Tu me fous la trouille !

Tu oses alors la question qui t'obsède depuis le soir de ton anniversaire.

— Tu étais là ?

— Quand ?

— Tu sais bien… quand elle est… quand elle a…

Paul hausse les épaules.

— Je suis allé chercher un truc à boire dans le couloir. Quand je suis revenu, sa chambre était pleine de blouses blanches. Ils m'ont demandé d'attendre dehors.

Tu te dresses sur tes ergots.

— Tu l'as abandonnée ? Alors elle était toute seule ?

— Je ne pouvais pas rester là toute la journée. Il fallait que je mange, que je boive, que je pisse, grogne Paul.

— Tu aurais dû la retenir ! cries-tu, cramoisi. Elle m'avait juré qu'elle allait guérir et revenir.

— Qu'est-ce que tu crois ? s'énerve Paul. Qu'elle montait au paradis en battant des ailes et que je pouvais lui attraper les chevilles pour la faire redescendre ? Le docteur m'a tout expliqué : elle avait deux ulcères, deux trous dans l'estomac, parce qu'elle se faisait trop de souci à cause de cette ordure de proprio. Le chirurgien a raccommodé un des trous, mais il y avait un gros vaisseau à côté, un gros tuyau plein de sang qui s'est mis à couler partout.

— Moi, je serais resté près d'elle et je les aurais prévenus tout de suite !

— Tu n'y étais pas, lâche Paul, glacial. Parce que tu n'es qu'un gosse.

Alice t'a dit l'autre jour : « Je suis ulcérée par le désordre de ta chambre, c'est une vraie porcherie. » Tu as grogné comme un petit cochon, vous avez ri. Tu fais l'amalgame, tu en déduis que c'est ta faute. Tu l'as ulcérée, elle a perforé son ulcère. Paul t'entoure gauchement les épaules de son bras, tu te dégages.

— On est virés d'ici, soupire Paul. On va emménager chez Patty.

— Ta copine ? Maman l'aimait pas et moi non plus ! protestes-tu, furieux. Vas-y si tu veux. Moi, je reste chez nous !

Paul t'ébouriffe les cheveux.

— On est obligés de partir, mon petit père. Ne rends pas les choses plus difficiles.

— Maman appelait le proprio « le rat gluant », tu te souviens ? Faut lui mentir, dire que maman va guérir et qu'elle va bientôt rentrer ! Je peux travailler pour t'aider, livrer des lettres, porter des courses, je ne suis plus un bébé. On y arrivera, à nous deux. On ne peut pas s'en aller, il y a le parfum de maman ici. Il y a sa chambre, avec ses vêtements dans l'armoire, son sac sur la chaise.

Paul t'attire contre lui d'un geste très doux dont il n'est pas coutumier.

— Le rat gluant est chez lui ici, Charles. On ne peut pas coucher sous les ponts. Patty est prête à nous héberger, on a de la chance. Elle t'aime beaucoup.

Il ment. Il a longuement plaidé ta cause. Patty voulait se débarrasser de toi en t'expédiant en pension.

Île de Groix, Port-Lay

Les jumeaux dorment, ils sont tombés d'un bloc, à la même seconde, comme deux jouets dont on aurait retiré les piles. Ponant s'est couché en travers de leur porte pour les protéger. La maison retrouve son calme. Dider s'est retiré tôt dans sa chambre, il se lève aux aurores pour marcher avec Oanelle. Il nous a proposé de les accompagner.

— On marche deux fois par semaine avec des amis, ça fait un bien fou. Demain, on fait un petit circuit de sept kilomètres, Quelhuit, pointe du Grognon, Pen Men, Kervedan, Moustero, et retour. Ça prendra moins de trois heures. Vous venez avec nous ?

— Je suis là pour travailler, s'excuse Gabin.

— Je ne suis pas sportive, dis-je.

Rozenn, ses filles, Gabin et moi sortons nous asseoir devant l'océan qui scintille sous la lune.

— Quand il y a des tempêtes, l'écume des vagues vole dans le jardin et se pose sur chaque buisson. On dirait qu'il neige. Ponant court partout en sautant, gueule ouverte, pour l'attraper, c'est magique ! s'enthousiasme Urielle.

Elle marque un temps, puis reprend :

— Ma *meumée* disait : quand on voit le continent c'est qu'il va pleuvoir, quand on ne le voit plus c'est qu'il pleut.

— Merci à vous deux d'avoir sauvé mes korrigans, répète Rozenn avec émotion. Urielle va repartir, mais notre maison vous est ouverte le temps que vous voulez. N'hésitez pas.

Je la sens sincère, j'accepte. Hier, j'ignorais le nom et l'existence de « Gro – Ix ». La France ne me tentait pas, je rêvais de New York, Berlin, Barcelone, Amsterdam, Vienne ou Londres. Et me voilà échouée sur cette île bretonne. J'ai volontairement laissé mon téléphone à Rome. Je suis libre, rien ne me rattache à ma vie d'avant. Livia, Viola et Marco vont recevoir ma lettre. À tous les trois, j'ai écrit les mêmes mots : « Je pars en voyage, je ne prends pas mon portable, je ne donnerai pas de nouvelles. Ne vous inquiétez pas, j'ai besoin de faire le point, seule. » Marco ne me pardonnera ni le lapin que je lui ai posé ce soir ni mon absence au mariage de son frère dans quelques jours. On n'était pas faits l'un pour l'autre. Et Livia ? Qui était fait pour elle ? Son mari ou le Groisillon ? Tu crois qu'un papa vivant m'attend ici, Alessio ? Tu crois qu'Urielle et Oanelle sont mes sœurs et que le destin m'a guidée vers elles ? Quand Dider a effleuré mon bras, est-ce que ma peau aurait dû reconnaître la sienne ? Que va-t-il se passer, maintenant ?

— Votre nom de famille est Tonnerre ? dis-je à Rozenn dans l'obscurité.

— Celui de mon mari. C'est un nom très répandu dans l'île.

C'est bien ma veine.

— Il y en a plusieurs ?

— Dans presque tous les villages. Nous sommes environ deux mille habitants l'hiver, plus de vingt mille l'été. Les Tonnerre sont les plus nombreux.

Le sang déserte mon visage, mes mains et mes pieds, puis reflue vers mon cœur qui s'emballe. Un bateau passe au loin, dont la lumière danse sur l'eau noire.

— Il y a des Groisillons qui s'appellent Éclair ? dis-je.

Rozenn rit.

— Non, nous sommes les seuls foudroyants.

— Vous vous connaissez tous ?

— Ceux de notre âge et de la branche de Dider, oui. Je connais moins les autres.

— L'île n'est pas grande, vous étiez tous en classe ensemble ?

— Il y a deux écoles, la publique et la privée. Les anciens les surnommaient celle du diable et celle du bon Dieu. À l'époque, on se retrouvait après la classe entre ceux d'un même village. De nos jours, tout le monde se mélange. Il n'y a plus cette fracture entre les deux moitiés de l'île, *piwisy* et *primiture*, l'ouest et l'est : on peut épouser qui on veut.

— Et vous avez eu le coup de foudre pour M. Tonnerre, lance Gabin, dont la voix sourit dans la nuit.

— Il ne gronde pas quand l'orage éclate, heureusement. Son nom vient d'un guerrier qui apparaît dans le cartulaire de Quimperlé, un manuscrit du XIe siècle qui recense les vieux noms bretons.

— Il n'a jamais travaillé en Italie ?

— Dider est le seul Groisillon que je connaisse qui déteste les voyages. Les Greks sont des aventuriers, ils naviguaient sur les mers lointaines, revenaient chargés d'histoires fantastiques. J'ai épousé un pantouflard, pas un pirate.

— Tu te rappelles mon tatouage ? pouffe Urielle. L'été après mon bac, je suis revenue avec une jolie sirène bleue sur le devant du pied, papa a refusé de me laisser entrer à la maison. J'ai dormi chez des cousins pendant une semaine. Maman l'a supplié, il s'est entêté. C'était un tatouage temporaire, je voulais le tester avant de sauter le pas. J'ai renoncé. Papa est né vieux, casanier, sédentaire et raisonnable.

— En Corse aussi, les jeunes se font tatouer, intervient Gabin. Je préfère avoir un corps sans signes distinctifs.

— Mon signe distinctif, c'est d'être groisillonne,

dit Urielle. Je n'aurais pas aimé naître sur la grande terre.

— La grande terre ?

— L'autre côté de l'eau, explique Rozenn.

— En Corse, l'autre côté de l'eau s'appelle le continent, ajoute Gabin.

— Une étoile filante ! Vite, faites un vœu ! s'écrie Urielle.

Chez moi, on les appelle des étoiles tombantes. *Nonna* Ornella disait que depuis la mort de son fils, elle faisait chaque fois le vœu de le rejoindre. Je protestais : « Je suis là, moi ! », mais elle secouait la tête : « Tu as ta mère. Ton père me manque. Tu comprendras plus tard. » Les étoiles filantes ont fini par l'exaucer, elle est partie rejoindre l'absent magnifique dans son sommeil. Tout le quartier s'est déplacé pour elle. La foule ne tenait pas dans l'église : les femmes et les enfants y sont entrés, les hommes sont restés dehors, à fumer, à parler, sans aller au café, par respect. Quand le corbillard est arrivé, les gens ont applaudi.

J'aimerais que l'étoile m'aide à trouver le bon Tonnerre. Même si l'île est petite, je cherche une aiguille dans une botte de foin.

Quelqu'un joue de la harpe dans l'obscurité. Gabin me fait signe de regarder à gauche. Les cordes vocales extraterrestres d'Oanelle reproduisent aussi bien la voix humaine qu'un instrument de musique.

— Les jumeaux bretons du groupe Triskell jouent de la harpe celtique, dit Urielle. Peut-être que Nolan et Evan chanteront ensemble un jour, au lieu de faire des bêtises ?

— C'est formidable d'avoir un frère, dit Gabin.

Il est bizarre, ce type. Beau et plutôt sympa. J'aime son bracelet de perles noires, ses baskets rouges et son grand pull, mais je n'arrive pas à savoir si ses yeux sont bleus ou verts. Quand il s'est targué d'avoir écrit plusieurs livres de la bibliothèque, je l'ai trouvé vaniteux. Au fond, il irait bien avec Urielle.

Marco doit me haïr de l'avoir planté sans explications. Les hommes ont déployé des trésors de patience pour m'apprivoiser, ils ont eu du mérite. Le premier s'appelait Sandro, soi-disant expert en amour, selon une camarade de classe. On a beaucoup ri ensemble. J'ai perdu ma virginité, ça n'a pas été un grand chamboulement, j'ai eu l'impression d'obtenir un diplôme. Après Sandro, il y a eu Fabio, puis Marco. Je suis normale, comme les autres filles. Contrairement à Livia, on peut me toucher. Elle avait mon âge quand elle s'est mariée.

— Votre mari fait quoi dans la vie ?

— Il enseignait les mathématiques, il vient de prendre sa retraite.

— Sur l'île ?

— Nous ne l'avons jamais quittée.

— Il n'a jamais été pêcheur dans sa jeunesse ?

— Regardez ! coupe Urielle.

Un dauphin joue avec une bouée devant l'entrée du port. Sa nageoire dorsale danse sur les vagues. Il cabriole et retombe en éclaboussant d'argent les eaux sombres.

— Quel est le nom le plus répandu en Italie ? demande Gabin.

Je réfléchis.

— Rossi. Bianchi. Et Ferrari.

— Alors toi aussi, tu as un nom banal ?

J'acquiesce. Que mon père soit italien ou français, que son nom vrombisse ou tonne, je ne suis pas la seule à le porter. Le dauphin joue toujours dans le rayon de lune, libre et joyeux. Oanelle salue sa danse avec la voix d'Elvis : « *Blue moon, you saw me standing alone, without a dream in my heart, without a love of my own.* »

Île de Groix

Gabin pédale avec énergie dans la nuit groisillonne vers le camping des Sables rouges. On lui a expliqué que depuis son bungalow, on aperçoit Belle-Île-en-Mer. Il s'en fiche. Ce qui importe, c'est d'être là, pas de regarder ailleurs. C'est la première fois qu'il met le pied sur une île. Il envisage de rester quelques mois, de creuser son trou, de se faire des amis. Chiara porte en elle toute la tristesse du monde, pourtant il y a de la poésie dans son sourire timide. Elle a un morceau de ciel bleu dans le brun chaud de son œil droit. Quand Oanelle a chanté ce soir, il a failli inviter la jeune Italienne à danser, mais il s'est ravisé. Il a préféré le tango des mots et des phrases. Cette fille est une touriste, elle va faire trois petits tours et puis s'en aller, acheter des cartes postales, faire des *selfies* au port et devant les crêperies. D'ici peu, elle repartira pour Rome avec un triskell porte-bonheur – ce symbole celte à trois spirales, bénéfique quand il tourne dans le sens des aiguilles d'une montre. « On ne s'attache pas à un sourire, songe Gabin. Cette Romaine est un triskell qui tourne à l'envers, elle ne t'apporterait que des tracas. »

Il pédale hardiment sur la route sans lumière. Deux yeux surgissent sur le bas-côté, il fait un écart, manque de déraper, le chat miaule de peur. Rozenn lui a recommandé de ne pas s'arrêter s'il apercevait des enfants jouant en rond sur la lande. Elle a prétendu que les korrigans, les vrais, pas les jumeaux, se rassemblent la nuit, font cercle et entraînent dans leur ronde les promeneurs égarés. Gabin a ri, croyant à une plaisanterie, mais Rozenn ne riait pas. Elle a ajouté que les mortels qui entrent avec les lutins dans les ronds de sorcière n'en ressortent pas vivants.

Des petits lapins bondissent sur les bords de la route. Le Sémaphore de la Croix, une élégante maison d'hôtes, surgit à l'extrémité du chemin. Le camping est plus loin à droite, vers la pointe des Chats.

Gabin retrouve avec soulagement son bungalow de toile. Il ne possède rien à part le contenu de son sac, il bourlingue sans amarres ni ancre. Il va s'accorder quelques jours de farniente. Ensuite, il se mettra au travail.

Île de Groix, le bourg

Urielle se gare sur le parking derrière la halle et la pharmacie. Elle m'explique que l'été, l'île a un autre visage. En haute saison, le bourg est piétonnier le matin, les parkings sont remplis. On fait la queue pour les courses, les touristes sont pressés d'aller à la plage. Il faut mal connaître la Bretagne pour croire qu'il n'y fait jamais beau : il y a autant de jours d'ensoleillement sur l'île qu'à Cannes. L'été, l'océan devient un terrain de jeux pour les enfants, les bateaux de plaisance, les scooters des mers, les véliplanchistes et les nageurs. En basse saison, on prend son temps, on se gare où on veut. L'océan règne en maître.

Nous sommes juste censées acheter le pain, la viande et les journaux, mais nous y passons deux heures : Urielle rencontre des connaissances tous les mètres. Elle me présente, je serre des mains, je retiens des noms. Elle connaît plus de gens sur ce caillou que moi dans la Rome éternelle. Elle me raconte les histoires de certains. Ses parents se réunissent avec leurs amis de « la bande du 7 », le 7 de chaque mois. Françoise tenait le café Chez Soaz sur le port. Brigitte nourrit les chats abandonnés. Véronique est la fille de Lucette. Loïc le beau boucher vient de prendre sa retraite.

On va à la Boutique de la Mer, chez Pat et Mimi, choisir un livre d'enfants sur les korrigans pour les jumeaux, le même en double exemplaire. L'un regarde les images plus vite que l'autre, mais ils veulent feuilleter le même, et c'est le seul moment où ils ne se disputent pas.

— Pourquoi ta mère appelle tes fils les korrigans ?

— Parce que les nains de la mythologie celtique étaient aussi malicieux que Nolan et Evan. Et puis c'est plus joli que « chicoufs ».

— Les quoi ?

Elle éclate de rire.

— Les gens appellent leurs petits-enfants comme ça. Chicoufs, chic quand ils arrivent, ouf quand ils repartent.

Je vois un disque de Michel Tonnerre sur un présentoir, je l'achète. De l'autre côté de la rue, Urielle choisit une poulie ancienne pour son père chez Jo et Marie-Aimée. Eux aussi s'appellent Tonnerre.

— C'est l'anniversaire de papa dans un mois, il aura soixante-cinq ans. Ton père a quel âge ?

— Vingt-cinq ans.

Elle fronce les sourcils.

— Quoi ?

— Il est mort il y a vingt-six ans, à l'âge que j'ai aujourd'hui.

— Oh ! Désolée.

— Il ne me manque pas vraiment, je n'ai pas eu le temps de l'aimer. Il manque surtout à ma mère. Elle m'en veut par ricochet.

— Comment ça ?

— Ta mère cuisine, ton père respire, ta sœur chante, vous vous aimez. Je ne savais pas que ça existait.

— Je croyais que les familles italiennes étaient soudées.

— Pas la mienne. Ma mère ne supporte pas le contact physique, elle recule si on l'approche.

— Mais toi, elle t'embrasse ? s'inquiète Urielle.

Je secoue la tête.

— Vous vous serrez la main ?

— On se dit bonjour.

— Quand tu étais petite, tu grimpais sur ses genoux ? Elle te prenait dans ses bras ?

— Non.

Je vois passer dans ses yeux les fous rires avec ses parents, les escalades le long de leurs corps, les câlins, les moments doux sur les épaules de Dider ou contre le cœur de Rozenn. J'ignore quel effet ça fait. Tu étais proche de ta mère, Alessio, tu disais que la mienne avait besoin de temps, mais il y a prescription maintenant.

Je m'immobilise devant la boulangerie, heurtée de plein fouet par l'évidence. Il m'aura fallu vingt-cinq ans pour comprendre. Livia aimait son mari. J'ai une chance sur deux qu'il soit mon père, comme si on traçait un trait au milieu de la photo encadrée posée sur le buffet. À gauche, il y a l'œil bleu du fils de *nonna* Ornella. À droite, il y a la prunelle floutée d'un inconnu. Si Livia ne supportait pas de me toucher, c'est parce que ma présence lui rappelait qu'elle a trahi son amour mort. Je suis son reproche vivant. On n'étreint pas un reproche, on le tient à distance.

— Chiara, je te présente Guy Tonnerre, dit Urielle. Il a écrit un livre sur les sauveteurs en mer. Son père, Pierre, était le patron de la station de Groix.

Guy est plus âgé que l'homme que je cherche. Son fils Erwan, qui élève des ormeaux et des huîtres fines, est trop jeune. Je tente tout de même le coup :

— Vous connaissez l'île d'Elbe ?

Il secoue la tête.

— Tu as posé la même question à mon père. Pourquoi t'intéresses-tu à cette île ? s'étonne Urielle.

Je hausse les épaules avec une indifférence calculée qui devrait me valoir un prix d'interprétation à la Mostra de Venise.

— Ma marraine y a rencontré un Tonnerre autrefois.

— Je peux me renseigner sur Internet. Il existe trois sites sur Groix, deux sites privés et le blog d'information d'Anita. Tu veux que je demande ?

Je préfère manœuvrer en douceur.

— Laisse tomber. On doit encore aller chercher le journal, non ?

On traverse le bourg, on prend *Ouest-France* et *Le Télégramme* sans les payer, Dider a une ardoise à la Maison de la Presse. Je dis bonjour à Marie-Christine et à Céline en me demandant si mon père leur achète son journal tous les matins.

La poste est juste en face, on monte les marches. Dès que Rozenn aperçoit sa fille, son sourire réchauffe les clients, se glisse dans les lettres, s'infiltre dans les paquets. Elle l'embrasse alors qu'elles se sont déjà embrassées ce matin. Quand ils ont porté son mari en terre au cimetière romain de Verano, Livia acceptait encore les accolades et les enlacements de la famille et des amis endeuillés. Elle est devenue allergique à la tendresse après ma naissance. Je sais à présent pourquoi.

— Je lance le poulet à quelle heure, maman ?

— Enfourne-le à midi.

— On sera combien, ce soir ?

— Douze, dit Rozenn gaiement.

Douze personnes à table ? Livia avait une excuse imparable pour échapper aux festivités : nous étions en deuil. Je ne pouvais inviter personne pour mon anniversaire, j'étais rarement invitée chez les autres. Heureusement, j'avais Alessio.

— Ta mère travaille toute la journée alors qu'elle a douze personnes à dîner ? dis-je, ébahie.

— Oh, elle a l'habitude. Oanelle l'aidera. On va emmener Nolan et Evan à la plage pour qu'ils ne soient pas dans leurs jambes.

— Salut, mesdames !

Gabin se dirige vers nous, la mine réjouie.

— J'ai bavardé avec Anne, la libraire de L'Écume. Je lui ai parlé de mes repérages.

— Elle vend tes livres ? demande Urielle pour le taquiner.

— Bien sûr ! Je vous offre un café ?

On s'installe à la terrasse de Bleu Thé. Urielle décrète qu'on doit goûter le far de Gwénola. J'entends « phare » et j'imagine un dessert en pain de sucre, mais quand l'assiette arrive, c'est une part de tarte triangulaire.

— On la supplie pour avoir sa recette, mais elle a promis à son père avant sa mort de ne jamais la donner, souffle Urielle.

Je prends une cuillerée. C'est délicieux, ça ressemble à un nuage moelleux avec des éclats de joie.

— C'était le plat principal breton au XIXe siècle.

Elle se tourne vers Gabin.

— Tu dînes avec nous, ce soir ?

— Non ! dis-je instinctivement.

C'est sorti tout seul. Urielle me dévisage avec surprise, Gabin éclate de rire. Je dissipe le malentendu.

— On devait être douze, avec toi on serait treize à table, ça porte malheur. Ma grand-mère était superstitieuse, elle a déteint sur moi. Ça remonte à la Cène, avec les douze apôtres et Jésus, quand Judas l'a trahi.

— Alors on n'a qu'à inviter une quatorzième personne, décide Urielle.

Une femme à la table voisine lit un journal dont la une est consacrée à Salvador Dalí et à Yves Montand, de son vrai nom Ivo Livi. Ils ont tous les deux été exhumés en vue d'une recherche de paternité. Je frémis. Autrefois, il y avait les groupes sanguins pour déterminer une parenté. Maintenant, on a recours aux analyses ADN. Ma grand-mère repose en paix auprès de son fils à Rome, pas question de les déterrer. Quand on a étudié les groupes sanguins à l'école, j'ai demandé à *nonna* Ornella celui de mon père : A positif, comme moi. Rien ne s'oppose à ce qu'il soit mon père. Mais rien ne le prouve.

— Vous connaissez vos groupes sanguins ? dis-je.

— AB, dit Gabin.

— O négatif, je peux donner mon sang à tout le monde, mais je ne peux recevoir que le mien, dit Urielle. C'est un groupe rare, mes parents et ma sœur ont le même. Quand Oanelle est tombée, mes parents ont donné leur sang, il n'y en avait pas en réserve.

Je ne peux pas être la fille de Dider. Je ne suis pas la sœur d'Urielle. Je dois trouver le Français de l'île d'Elbe et faire un test ADN. S'il est négatif, je serai la fille de mon père officiel.

De retour chez Urielle, je glisse mon nouveau CD dans le lecteur. La voix rauque de Michel Tonnerre m'explose le cœur : « Je t'aimerai jusqu'à la fin, et quand au terme du voyage, c'est elle qui me prendra la main… » Oanelle, entrée sans bruit, finit le couplet : « … je lui donnerai ton visage. »

Nanterre, treize ans plus tôt

Tu t'appelles Charles, ton frère Paul est désormais ta seule famille. Votre vie change du tout au tout. Tu es officiellement confié à la garde de ton aîné. Vous quittez la maison de Chatou pour l'appartement de Patty dans le département voisin, de l'autre côté du pont.

Tu termines ton année scolaire à Perceval. Tout le monde est aux petits soins, enseignants et élèves, tu te raidis pour ne pas t'écrouler, tu refuses de parler d'Alice au psychologue et au proviseur, tu fais comme si tout était normal, comme si tu n'avais pas des tessons de verre plantés dans la poitrine chaque fois que tu inspires.

Patty est chez elle à Nanterre et te le fait sentir dès que Paul a le dos tourné. Devant lui, elle se montre chaleureuse et gentille. En son absence, elle se mue en sorcière. Elle est plus âgée que Paul, très fier qu'une vraie femme s'intéresse à lui. Elle déteste lire, passe son temps devant la télévision à zapper d'une chaîne à l'autre, quand elle ne travaille pas. Paul lui récite : « Tu es comme la mer, tu berces les étoiles, tu es le champ d'amour, tu lies et tu sépares les amants et les fous, tu es la faim le pain la soif l'ivresse haute. » Elle se fiche d'Éluard, elle l'interrompt pour l'entraîner dans la chambre où elle manifeste son plaisir en gloussant, ce qui te rend dingue. Alors tu quittes l'appartement et tu vas lire dans l'escalier de l'immeuble dont la minuterie s'éteint automatiquement, tu dois chaque fois te lever pour la rallumer.

Paul doit désormais subvenir à vos besoins. Son rêve de devenir photographe tombe à l'eau. Il décide de ne pas passer son bac dans un mois. Tu lui répètes qu'Alice serait furieuse, il ne t'écoute pas. De toute façon, il ne peut plus faire d'études, alors quelle importance ? Le frère de Patty, boulanger à Rueil-Malmaison, vient de virer son apprenti après une énième dispute, Paul se propose de le remplacer. Dix-huit ans, ce n'est pas tout jeune pour commencer un CAP. Il se met à travailler de nuit, les week-ends et les jours fériés. Il n'est jamais là quand tu te réveilles. Le temps des petits déjeuners ensemble est fini. La page est tournée, arrachée plutôt. Patty, vendeuse au centre commercial de la Défense, se réveille plus tard. Elle a le sommeil très léger, t'interdit d'entrer dans la cuisine ou d'utiliser la salle de bains avant de partir en classe, de faire couler l'eau et même d'aller aux toilettes – elle prétend que le bruit de la chasse la réveillerait.

Humilié, tu te retiens et tu te précipites dans les toilettes de l'école. Tu te brosses les dents sur place. Tous les matins, tu as mal au ventre et l'estomac creux. Tu n'oses pas en parler à Paul, tu as trop honte. Il travaille le samedi et le dimanche. Ces jours-là, Patty fait comme si tu n'étais pas là, elle se promène nue devant toi, ne te répond pas quand tu lui parles. Un jour, tu te plantes devant elle et lui barres le passage :

— Eh, oh, je suis là ! Pourquoi tu veux pas me parler ? Qu'est-ce que je t'ai fait ?

Elle te regarde comme si tu étais une serpillière, moche et sale, et elle jette du bout des lèvres :

— J'aime ton frère. Toi, tu n'es qu'une valise encombrante qu'il m'a imposée. Tu n'existes pas pour moi.

— Je ne suis pas une valise, je suis un garçon ! Je n'ai pas de poignée ni de roulettes, j'ai des bras et des jambes, regarde !

Tu tournes sur toi-même, bras écartés, dérisoire évidence.

— Je ne voulais pas de toi, c'est Paul qui a insisté. Tu es un poids pour lui.

— Je ne suis pas un poids, je suis sa famille ! protestes-tu d'une voix qui dérape vers l'aigu.

— Avant. Maintenant c'est moi sa famille. Tu ne vois pas que tu nous encombres ?

Tu te recroquevilles. Tu te réfugies dans les textes que ta mère aimait. Tu conserves ses livres de La Pléiade, tu humes le papier bible, cherches le parfum d'Alice. Tu n'as pas enlevé les étoiles de sang de la page sur laquelle ta mère s'est effondrée, tu gardes le tome comme une relique. Tu relis les poèmes jusqu'à en avoir mal aux yeux. Chaque soir, tu retournes à la piscine de Chatou, près de votre ancienne maison, et tu t'astreins à de fastidieuses longueurs jusqu'à tomber d'épuisement. Tu deviens un fantôme dans l'appartement de Patty. Tu ne les gêneras plus. Tu n'es même plus certain d'exister vraiment.

L'année scolaire se termine. Les copains de Paul obtiennent tous leur bac. Il se saoule le soir des résultats et il a le vin triste. Tu t'endors en te bouchant les oreilles pour ne pas entendre ses sanglots.

Le cauchemar continue pendant les vacances. Paul travaille la nuit, Patty se lève tard. Tu es toujours interdit de salle de bains et de toilettes, mais tu n'as plus d'école où te soulager et te laver, pas d'argent pour aller dans un café. Patty revient triomphalement un jour avec un pot de chambre en plastique qu'elle t'offre comme un cadeau.

— Tu l'utiliseras dans ta chambre.

Tu as treize ans, tu baisses la tête, vaincu. Tu te promets de ne le répéter à personne, ta dignité est en jeu. Tu évites d'utiliser l'instrument avilissant.

Paul t'annonce que tu ne pourras pas poursuivre ta scolarité à Perceval. Comme votre mère y enseignait, l'administration de l'école vous a fait une proposition très généreuse, mais ça reste plus onéreux que l'école publique, et illogique maintenant que vous avez quitté le 78 pour le 92.

— Je suis désolé, mon vieux, dit Paul, les yeux cernés et la silhouette amaigrie. On n'a pas le choix. Au moins, tu manges du bon pain frais !

— Il est dégueulasse ton pain, répliques-tu avec humeur.

— Tu pues des pieds !

— Tu pues du bec ! C'est quoi, ces pompes toutes moches ?

Paul ne porte plus ses Converse bleues.

— Patty a jeté mes vieilles godasses et m'a offert celles-ci. Elle serait vexée que je ne les porte pas.

Il trahit la famille aux pieds bariolés alors que tu étais sur le point de lui confier les vexations subies. Tu pars noyer ta colère dans les eaux chlorées de la piscine de Chatou.

Le dernier fil qui te reliait à ton existence précédente se rompt. À Perceval, tu étais le fils de ta mère, à Nanterre tu seras un collégien anonyme dont le frère tout juste majeur signe les carnets de notes. Un garçon à la tête pleine de rimes et au cœur fracassé.

Île de Groix, plage des Sables rouges

Groix est surnommée l'île aux grenats, car dans cette anse, le sable a des reflets du même rouge sombre que le bracelet d'Urielle. Je suis assise avec elle devant l'océan. Gabin est en repérages, Rozenn travaille à la poste et Dider aide un ami à réparer son bateau avec Oanelle.

— Quand j'étais petite, ma mère s'interdisait d'être heureuse depuis la mort de son mari. Alors, par politesse, je demandais aux gens : « Vous aussi vous êtes malheureux ? » Ils me prenaient pour une cinglée. Dans ton île, la vie n'est pas plus facile qu'ailleurs, mais vous y semblez en paix.

— Ce n'est plus mon île, soupire Urielle.

Les korrigans ramassent des coquillages et remplissent leurs poches de sable pourpre et d'algues. Urielle les laisse s'amuser, elle les changera en rentrant à la maison. Elle a grandi sur ce caillou posé au milieu de l'eau, elle a été pensionnaire à Lorient dans ses années lycée, elle a rêvé de partir, de voir le monde, d'habiter une ville avec des feux rouges, un métro, des boîtes de nuit, des cinémas Multiplex, des salles de concert, de l'animation. Elle a quitté Groix après son bac. Mais depuis le départ du père des jumeaux et l'attentat du Bataclan, la circulation l'étouffe, la pollution l'inquiète, la foule l'indispose, le métro la panique. Elle court tout le temps, elle s'énerve, elle est devenue comme les *gourzouts*, les envahisseurs de l'île au mois d'août : une femme pressée, nerveuse, efficace, citadine, stressée.

— Tu sais pourquoi je suis tombée amoureuse de mon ex ? Parce qu'il était cataphile.

— Pardon ?

Elle sourit de la bouche, pas des yeux.

— Il était fasciné par les catacombes. Il y descendait avec ses copains par des plaques de carrière en pleine rue, ou par la Petite Ceinture, une ancienne voie de chemin de fer qui fait le tour de Paris et qui a été abandonnée dans les années 1930. C'est strictement interdit, les cataflics veillent ! Imagine une société souterraine sans lois, où on organise des soirées, des expos, des concerts. Je n'étais pas claustrophobe à l'époque, c'était plutôt excitant.

Elle soupire.

— Mes parents n'osent pas me demander pourquoi j'ai débarqué ici ce week-end sans prévenir. En fait, il m'est arrivé un truc bizarre la semaine dernière. J'ai eu une crise de panique dans le métro.

Elle se hâtait de rentrer pour relever la baby-sitter, quand soudain elle a eu l'impression que les parois du wagon se rapprochaient. Étonnée, elle a secoué la tête et respiré à fond. Mais ça a recommencé. Les parois tremblaient, glissaient sur leur erre, cinglaient l'une vers l'autre pour écraser les usagers qui ne se rendaient compte de rien. Urielle a alerté ses voisins, elle a bondi sur ses pieds, couru vers la porte, mais le métro fonçait dans un tunnel, elle ne pouvait pas sortir. Elle a cru qu'elle allait crever là, coincée entre deux tôles. Elle happait l'air, tremblait, secouait la poignée de la porte, criait aux autres voyageurs : « Vous ne voyez pas qu'on va tous mourir ? » Les gens, pensant à une attaque terroriste, ont paniqué. Heureusement, la rame est sortie du tunnel et s'est arrêtée. Urielle a jailli sur le quai du métro et s'est enfuie en courant dans les couloirs. Enfin, elle a émergé des profondeurs de la terre parisienne. Il lui a fallu une heure pour se calmer et redevenir maîtresse d'elle-même. Quand elle est arrivée chez elle, la baby-sitter, furieuse de son retard, lui a donné sa démission. C'est là qu'elle a décidé de se réfugier chez ses parents à Groix.

— Je travaille dans l'événementiel, on organise des foires, des salons, c'est passionnant, mais on est toujours sur la brèche, on bosse à un rythme effréné. Et je suis seule avec les korrigans.

— Leur père ne t'aide pas ?

— Il est parti pour le Népal juste après leur

naissance, en me proposant de le suivre. J'ai quitté Groix pour découvrir la vie parisienne, pas pour fumer de l'herbe dans l'Himalaya ! Mais je me noie en ville, alors que je flottais ici…

Elle enfonce ses pieds nus dans le sable mouillé, recroqueville les orteils.

— J'ai grandi en sentant sur mes épaules le poids léger d'Oanelle. Il m'incombera un jour de m'occuper d'elle. Je suis à jamais responsable de trois personnes, mes enfants et ma grande sœur.

— Tes parents ne sont pas âgés. Nolan et Evan grandiront et t'aideront.

— Je ne leur imposerai rien ! s'exclame-t-elle, véhémente. Mes fils seront libres.

Je lui parle de toi, Alessio, de la façon dont tu as pris soin de ta mère après le cancer foudroyant de ton père, tu venais d'avoir dix-huit ans. La liberté n'a pas de prix, mais elle a un coût. Tu as refusé que sa disparition vous fasse sombrer. Tu as abandonné tes études d'architecte et ta petite amie pour voyager avec ta mère. Tu as séché ses larmes à Istanbul, Syracuse, Munich, Bruges. Quand elle a été assez forte, vous êtes rentrés à Rome et tu as repris ton indépendance.

— Non, Evan, dans ta poche, pas dans ta bouche ! crie Urielle. Les coquillages, ça ne se mange pas. Crache ça tout de suite !

L'enfant obéit et crache sur son pantalon. Son frère, ravi, se colle une poignée de sable dans la bouche avant de baver joyeusement sur son tee-shirt décoré d'un pirate.

— Je suis aussi folle qu'Oanelle, sauf que moi ça ne se voit pas, dit Urielle. Les parois du wagon se sont vraiment refermées sur ces gens, façon de parler : les Parisiens se coincent entre les tôles matin et soir, toute l'année. À Groix, le ciel étoilé ne limite pas la pensée, et de la côte sauvage on devine l'Amérique. À Paris, on ne distingue même pas la prochaine station de métro. J'ai envie de rentrer, mais c'est impossible, j'ai ma fierté.

— Ce serait une décision et pas un échec. Ta fierté serait sauve.

— Je me suis trompée, Chiara. Il faut que je tienne le coup. Je vais éviter le métro, j'irai en vélo ou à pied. Je ne vais pas laisser ces énervés me pourrir la vie. Je suis bretonne, mes ancêtres ont survécu aux tempêtes et aux naufrages, mille sabords, tonnerre de Brest !

Celui que je cherche est un Tonnerre de Groix. On rassemble les pelles, les seaux, les korrigans trempés et hilares, et on s'entasse dans la voiture.

— Tu n'es pas là pour faire du tourisme, déclare Urielle en reprenant le volant. Tu as un secret.

Je hausse les sourcils, déstabilisée.

— On ne vient pas dans une île par hasard, poursuit-elle en démarrant. C'est une quête. Tu n'es pas attirée par la plage, les goélands ou les crêpes dentelle. Ici, tout est symbole. Cette île est née du choc de deux plaques tectoniques il y a quatre cent millions d'années. On l'appelle l'île aux sorcières, *Enez Ar C'hoaz'h.* C'est un creuset, un athanor, un chaudron de magie blanche. Tu cherches un Tonnerre qui est allé à l'île d'Elbe autrefois ?

J'acquiesce, pendant que les jumeaux à l'arrière nous assènent des coups de pied.

— Arrêtez, les garçons ! C'est important pour toi de trouver ce type ?

Je hoche la tête. Je ne lui explique pas pourquoi, les mots restent coincés comme une ancre crochée au fond.

— Je vais t'aider, je te dois bien ça. Demain matin, on ira voir Perig, à Kermarec. Il est correspondant de presse ici, il connaît tout le monde. Les recteurs se sont succédé au presbytère, les docteurs au cabinet médical, la mairie a viré de bord, mais Perig, lui, est toujours là.

Nanterre, dix ans plus tôt

Tu es devenu un adolescent de seize ans aux épaules larges, grâce aux longueurs de crawl et de brasse papillon que tu t'imposes tous les soirs à la piscine de Chatou. Tu brilles en français au lycée, tu délaisses les autres matières.

Un samedi, tu rentres d'une soirée chez des copains, ton vieux scooter tombe en panne. Tu ne veux pas réveiller Paul et Patty. Paul part tôt pour sa première fournée du matin sans vérifier si tu es rentré, Patty ne remarque même pas ton absence. Tu passes la nuit dans le sous-sol d'une camarade de classe, tu y es rentré par une fenêtre cassée. Tu y restes une semaine entière. Personne ne s'en rend compte. Tu es délogé par la femme de ménage qui manque de faire une attaque en te découvrant. Le père de ta camarade appelle chez toi. Il tombe sur Patty qui joue les victimes en se plaignant des bizarreries de l'orphelin qu'elle a recueilli par pitié. C'est une bonne actrice. Le père interdit à sa fille de te fréquenter. Pour se venger, Patty ouvre la fenêtre de ta chambre en grand pour y faire entrer la pluie. Le soir, en rentrant du lycée, tu pousses un cri d'horreur : tes cahiers, ton classeur et tes « Pléiade » sont trempés. Les mains tremblantes, le cœur au galop, tu ouvres le livre de ta mère. Les étoiles rouges sont intactes. Tu déboules, furieux, dans le salon où elle est avachie devant la télé.

— Tu es une harpie, une minable sorcière !

— Et toi, tu n'es qu'une petite merde ! Ce n'est qu'un début. C'est moi que ton frère croira, pas toi !

Patty joue bien les innocentes. Lorsque Paul revient, farineux et fatigué, elle lui jure, les yeux dans les yeux, que c'est toi qui as laissé ta fenêtre ouverte.

À la fin de l'année, tu arrives premier à l'épreuve de composition française au concours général. Paul ne pourra pas assister à la cérémonie de remise du prix à la Sorbonne, il a repris la boulangerie du frère de Patty à Rueil-Malmaison, il est désormais à son compte. Alors tu gardes la bonne nouvelle pour toi. Tu seras le seul lauréat que personne n'accompagne.

La secrétaire du prix insiste pour connaître le nom de tes invités.

— Vos proches ne voudraient pas rater ce moment important ?

Tu réponds la première chose qui te passe par la tête.

— Mes parents vivent aux États-Unis, ils travaillent à la Nasa, ils ont la tête dans les nuages.

La secrétaire compatit, ça ne doit pas être facile de vivre si loin de sa famille.

Le mensonge fonctionne. Tu découvres le pouvoir de l'imagination. Les écrivains font ça à longueur de journée, ils inventent des personnages et les mettent en situation.

Au grand amphithéâtre de la Sorbonne, tu es radieux, triste et seul. Tu penses à ta mère, tu songes au bébé que Patty attend. Cette petite fille aura un père génial et une mère exécrable, elle aurait eu une grand-mère fantastique. Paul veut l'appeler Alice, Patty insiste pour Louna. Alice sera son second prénom. Tu l'appelleras Louna-Alice. Patty ne te le pardonnera pas.

Île de Groix, Kermarec

Le village fait face à la mer, sur la côte sauvage, à l'autre bout de l'île.

— *« La donna è mobile, qual piuma al vento ! »*

Je reconnais le *Rigoletto* de Verdi qu'adorait *nonna* Ornella. Perig et sa femme chantent à la chorale « La Kleienn ». Nous attendons que le ténor cesse de chanter avant de frapper à la porte. Il y a une sonnette, mais elle n'est reliée à rien, il paraît que c'est courant dans l'île.

L'homme est impressionnant. Il a des mains comme des battoirs, des pieds comme des *pizze*, des yeux ronds et sombres, une voix profonde, modulée. Sa femme Aziliz est une poupée miniature, soprano léger.

— Urielle, ça fait plaisir, *co* ! Tu n'as pas amené tes poulpiquets ?

— Ils sont restés avec maman. On a besoin de tes lumières.

— Entrez ! Il reste du *tchumpôt* d'hier soir.

— Chiara est romaine. Elle ne sait pas de quoi tu parles.

Co est une appellation amicale, le diminutif de compagnon. Le *tchumpôt* glisse dans mon assiette depuis la poêle où il vient de frire dans le beurre. Le tiramisu a les calories d'une salade verte à côté de ce dessert indescriptible. Tu en serais fou, Alessio. Aziliz nous sert une part minuscule. Cinq bouchées de cette merveille rassasieraient l'équipe de foot de l'AS Roma.

— Chiara cherche un Tonnerre qui est allé sur l'île d'Elbe il y a précisément vingt-six ans, explique Urielle.

— Vous savez combien il y a de Tonnerre, aujourd'hui ? dis-je.

Perig réfléchit tandis qu'Aziliz débarrasse en chantonnant. Puis il fouille dans sa bibliothèque, sort un dossier qu'il feuillette.

— C'est difficile à déterminer précisément. Je m'étais penché sur la question pour un article. Certains vivent là, d'autres ont bourlingué, se sont expatriés, sont devenus citadins. Il y avait cinq familles primitives, dont sont issues trois branches qui n'ont pas de lien de parenté.

Il désigne le dossier sur la table.

— Celle de Bonnaventure Donnerch qui s'est marié vers 1603, celle de Jan Tonnerch vers 1628, celle de Jacob Thonnerch aux alentours de 1629. Elles existent encore aujourd'hui. Le père d'Urielle descend de Bonnaventure. Guy et Erwan descendent de Jacob. Alain, le mari de Marielle, descend de Jan. Je vais me renseigner. On donnait des surnoms à chaque famille pour différencier les homonymes. De 1627 à 1900, il y a eu mille sept cents naissances de Tonnerre.

Leur nombre m'écrase.

— J'ai fait sur le bateau la connaissance d'un écrivain qui vient en repérage pour un roman, je peux te l'envoyer ? demande Urielle.

Perig acquiesce, puis me dévisage.

— Pourquoi cherchez-vous ce Tonnerre ?

— Ma marraine l'a rencontré à l'époque, elle voudrait savoir ce qu'il est devenu.

— Je ferai le maximum, mais sans vos réseaux sociaux. Twitter ne vaut pas les conversations de bistrot, Facebook est moins efficace que la queue à la Maison de la Presse ou à la poste, et Instagram moins utile que les albums photo. *A galon vat*, c'est de bon cœur !

— On devait répéter pour la chorale cet après-midi, lui rappelle Aziliz.

— On répétera demain, la rassure Perig.

On dirait un chien limier dont la truffe frétille à l'idée de remonter une piste. Urielle a vu juste, nous avons frappé à la bonne porte.

— L'histoire me fascine, enchaîne-t-il. Pendant l'hiver 1835, une femme a mis son bébé dans le tourniquet de l'hospice de Lorient. Une petite fille de cinq ou six mois, deux petites culottes, deux vêtements de flanelle, un bonnet. C'était le jour de la Sainte-Sabine, ils l'ont appelée Sabine. L'enfant a grandi et elle est venue travailler à la presse à sardines à Port-Mélite. Elle s'est mariée dans l'île en août 1860 et a engendré une des branches Tonnerre.

— Le tourniquet ? dis-je, sans comprendre.

— Les mères qui ne pouvaient pas garder leur enfant les y déposaient comme on met aujourd'hui une lettre à la poste. Chaque famille a une histoire, chaque maison et chaque bateau aussi. Je suis en train d'écrire un article sur les naufrages. Tu as entendu parler du *Coranna* qui a fait côte sur Groix, à la fin du XIXe siècle, Urielle ?

— Vaguement.

— C'était un trois-mâts danois qui, de Bordeaux, se dirigeait vers Cardiff avec un chargement de poteaux de mine. Il a perdu son gouvernail et s'est échoué sur le rocher du Terrible entre Locqueltas et le Storan, en 1894. Les Groisillons ont réussi à sauver les quinze marins de l'équipage. La mer a détruit le bateau, mais plusieurs familles ont pu se chauffer avec les poteaux de mine. Un autre bateau chargé de bottes et de souliers avait fait naufrage cinquante ans plus tôt, au même endroit.

— On a trouvé les vestiges d'un drakkar près de la plage de Locmaria, ajoute Urielle. C'était la tombe d'un chef viking, maintenant au château de Saint-Germain-en-Laye.

— Un cargo grec, le *Sanaga*, s'est échoué en mars 1971 près du phare des Chats alors qu'il faisait route sur Saint-Nazaire, poursuit Perig. Les plongeurs aiment tourner autour de l'épave. Moi, j'en fais autant hors de l'eau, sans masque ni palmes ni combinaison. Je tourne autour des indices et des anecdotes. Ton amie connaît l'histoire du facteur qu'ils ont mangé ?

Urielle secoue la tête.

— Les blessés de guerre avaient des emplois réservés. Un jour, un facteur qui avait perdu un bras au combat est mort pendant sa tournée entre deux villages de l'île. Quand on l'a retrouvé sur le chemin, quelqu'un a crié : « Ils ont déjà mangé son bras, *co* ! » La rumeur s'est amplifiée, on disait des villageois : « *Ceuçi*, ils ont mangé le facteur ! »

Je souris.

— Vous avez de quoi écrire un livre.

— J'en ai publié un dans ma jeunesse, mais le succès n'a pas été au rendez-vous. Je préfère témoigner dans mes articles.

Alors qu'il nous raccompagne à la barrière, un énorme chat roux lui file entre les jambes et fonce dans la maison.

— Chapô, tu es en retard !

— Le chat Chapeau ? dis-je, amusée.

— Chapô avec un *o* accent circonflexe, précise Perig. Le chapô est la phrase en caractères gras qui coiffe un article, l'accroche qui donne envie. Chapô aussi est gras, ça lui va bien. C'est un chat de la vie, sans maître. Nous sommes conscients de l'honneur qu'il nous fait de nous rendre visite.

— Perig est un homme étonnant, dit Urielle tandis que nous rejoignons la voiture. D'une culture infinie, d'une simplicité rare. Il n'est pas pêcheur, mais papa dit qu'il a pris la sagesse et la force dans ses filets. Aziliz et lui ont perdu un fils adolescent, champion de windsurf, mort noyé. Après ce drame, il s'est dévoué corps et âme à son travail, et il est devenu incollable sur l'île. Tu ne veux toujours pas que je fasse un tour sur les sites et le blog dont je t'ai parlé ?

Je secoue la tête. Trop d'internautes seraient au courant, je préfère y aller sur la pointe des pieds.

— Il n'a pas appelé les jumeaux « korrigans ». Il a employé un autre mot, n'est-ce pas ?

— Des poulpiquets. Ce sont les gnomes du Petit Peuple. Dans les contes bretons, ils cachent leur trésor au pied des arcs-en-ciel. Ils sont forgerons, alchimistes, magiciens. Perig aurait été un grand-père merveilleux.

Île de Groix, Port-Lay

Après le dîner, j'aide Oanelle et Urielle à débarrasser la table. Je connais désormais la place du tiroir à couverts et la façon dont Rozenn dispose les assiettes dans son lave-vaisselle. C'est ça, une vraie famille, Alessio ? Des courses, de la cuisine, des repas, des rires, du partage ?

— Corysande nous a annoncé ce matin qu'elle s'arrête une semaine pour une intervention bénigne mais urgente. Je ne sais pas comment on va s'en sortir pour la tournée de Locmaria, soupire Rozenn.

— Vous ne pouvez pas engager une remplaçante ? s'intéresse Dider.

— Ce n'est pas évident en cette saison. Les jeunes qu'on embauche l'été sont sur le continent. Et les horaires sont astreignants, ceux qui ont déjà un emploi ne peuvent pas cumuler.

— Je peux vous aider ?

— Le vélo est lourd avec le courrier, même s'il est électrique. Ton genou ne tiendrait pas le choc.

— Papa refuse de se faire opérer, me dit Urielle.

Moi, j'ai les jumeaux, continue-t-elle. Et de toute façon, je repars bosser à Paris.

Rozenn hausse les épaules.

— La nuit porte conseil. On verra demain.

Elle m'explique que le receveur est à Lanester pour la zone du Grand-Lorient. À Groix, il y a la poste guichet, la Banque postale, la branche « services-courrier-colis » et une factrice référente.

Je pense au film italien *Il Postino* où, sur l'île de Salina dans les années 1950, Mario devient le facteur du poète en exil Pablo Neruda qui lui apprend le pouvoir des mots pour séduire la belle Béatrice. Viola m'a emmenée le voir, parce que mon père adorait Neruda. Elle m'a offert un poème de lui que j'ai accroché au-dessus de mon lit. Il commence par : « Il meurt lentement, celui qui ne voyage pas, celui qui ne lit pas, celui qui n'écoute pas de musique… » Et finit par : « Vis maintenant ! Risque-toi aujourd'hui ! Agis tout de suite ! Ne te laisse pas mourir lentement ! Ne te prive pas d'être heureux ! » Je me suis projetée dans le personnage du facteur qui, à force de porter son courrier au poète, est devenu son ami. J'aimerais tant porter son courrier à mon père inconnu. Je n'ai pas voyagé, je lis, j'écoute peu de musique. Depuis ma naissance, je meurs lentement. Il est temps de prendre des risques. Je me lance :

— Je pédale plus vite que mon ombre. Si c'est pour une semaine, je peux vous dépanner ?

Un silence étonné suit mon offre.

— Tu n'es pas d'ici, remarque Urielle.

— Tu n'es pas française, renchérit Rozenn. Les assurances ne fonctionneront pas.

— Je ne conduirai pas une voiture sur l'autoroute, je ferai du vélo sur une île tranquille pour glisser des enveloppes dans des boîtes aux lettres.

Oanelle intervient :

— « Faut dire qu'elle y mettait du cœur, c'était la fille du facteur, à bicycleeeeetteeee. »

— Je ne sais pas, Chiara, hésite Rozenn.

— C'est juste pour vous rendre service.

Si Perig trouve l'homme que je cherche, grâce à ce remplacement, j'aurai un prétexte pour l'approcher. Il faut que Rozenn accepte. Je lance un regard à Urielle pour la convaincre.

— J'en parlerai au receveur, dit Rozenn d'un ton dubitatif.

— Tu n'as qu'à lui dire que Chiara est ta filleule et que tu te portes garante d'elle ? suggère Urielle.

Rozenn, fonctionnaire honnête et réglo, fronce les sourcils.

— Je n'aime pas mentir.

— Elle a sauvé Evan, rappelle Urielle. Pour moi, ça vaut tous les passeports ! S'il était tombé…

Rozenn revoit la chute d'Oanelle par la fenêtre de sa chambre d'enfant au Méné. Puis elle imagine Evan sombrant dans les flots agités de la passe des Courreaux.

— Je veux seulement vous aider, dis-je.

Rozenn pèse le pour et le contre. Elle a vraiment besoin de quelqu'un.

— C'est gentil de ta part, Chiara, ça arrangerait tout le monde. Je te recommanderai. S'ils sont d'accord, tu feras la tournée avec Corysande, elle t'initiera.

— Tu lui donneras le classeur de la remplaçante de l'été dernier, avec les plans et les repères ? demande Urielle.

— Les fiches et les noms viennent d'être mis à jour.

Urielle a compris ma manœuvre. Elle chuchote :

— Ta marraine avait craqué pour le Groisillon de l'île d'Elbe ? Elle ne l'a jamais oublié ? Tu imagines leur face-à-face après tant d'années ?

D'un bond, Nolan monte sur le tabouret de la cuisine. En se dressant sur la pointe des pieds, il tend la main vers le saladier d'oursons en guimauve que Dider a cru poser hors de sa portée. Il le saisit, sa main glisse, le saladier en verre s'écrase par terre, le chien se précipite.

— Vous êtes des monstres ! crie Urielle en empoignant les jumeaux. Sortez de là, vous allez vous couper. Chiara, bloque Ponant, le chocolat est un poison pour les chiens.

Je retiens le cocker par son collier. On balaie la cuisine, on jette tout à la poubelle. Les jumeaux, piteux, font profil bas.

La remarque d'Urielle m'a déstabilisée. C'est mon histoire, je suis en droit de chercher mon père, mais j'ai oublié que Livia figure à la première place dans l'équation. Si je trouve ce Tonnerre, voudra-t-il reprendre contact avec elle ? Quelle sera sa réaction ?

Nanterre, huit ans plus tôt

Tu as dix-huit ans, les cheveux en broussaille, une barbe naissante pour te vieillir. Les rares fois où tu penses à votre père inconnu, tu l'imagines barbu. Est-ce que tu lui ressembles ? Comment savoir ? Tu dépasses maintenant ton frère d'une tête. Tu commences tes études de médecine à la faculté de la rue des Saints-Pères. Ton cœur ébranle ton thorax à chaque pulsation de sang, tu n'as pas encore de stéthoscope et aucune notion de cardiologie, mais tu devines que cette danse en rythme a ses codes et sa mélodie. Tu gares ton vieux scooter au milieu des motos rutilantes et des vélos bobos. Tu travailleras d'arrache-pied et tu réussiras le concours de première année, puisque c'est ton rêve.

Tu retrouves avec bonheur dans l'amphi un ancien condisciple de Perceval, Vincent, qui te propose une colocation. Le père de Vincent est directeur d'une grande surface, le jeune homme est vendeur le week-end au rayon des jeux vidéo pour se faire de l'argent de poche. Sur sa recommandation, tu es engagé à mi-temps au rayon librairie. Un livre, ça épaule les jours lourds et ça donne des ailes les jours légers. Ton salaire te permettra de payer tes études et ta part du loyer, tu vas gagner ta liberté.

Le jour où tu quittes définitivement Nanterre, tu n'as prévenu personne. Il n'y a que toi dans l'appartement. Dehors, il pleut. Tu fourres tes vêtements et tes livres dans une valise au cuir éraflé qui sent encore le parfum de ta mère – tu ne l'as pas utilisée depuis que Paul et toi avez quitté Chatou. Tu t'assieds, pris de vertige. Tu fermes les yeux, tu revois Alice en train d'acheter ce bagage à la foire à la brocante et au jambon : « Les garçons, regardez les étiquettes collées sur cette valise. Elle a vu du pays, elle va nous raconter ses voyages extraordinaires ! »

Tu n'es jamais parti en vacances, vous n'en éprouviez pas le besoin. Et après la disparition d'Alice, vous n'en aviez plus les moyens. Mais tu veux désormais prendre ton envol, mettre de la distance entre Patty et toi, sillonner la terre bleue et vivre les aventures promises par les étiquettes.

Tu exhumes du bas du placard le pot de chambre que tu as cessé d'utiliser quand Patty est partie accoucher à la maternité. Ces quelques jours en tête à tête avec Paul auraient pu être heureux, ils ont été sinistres. Votre complicité a disparu, balayée par l'épuisement chronique de Paul. Le jour où Patty est rentrée avec sa fille, tu as bercé le bébé en cherchant sur son visage les traits d'Alice. Puis, devant ton frère, tu as tendu le pot de chambre à Patty en disant : « Il sera plus utile à Louna-Alice qu'à moi. » Paul n'a pas compris. Patty a repris le bébé avec brusquerie.

— Elle s'appelle Louna ! C'est quoi cet absurde cadeau de naissance ?

Tu as offert à ta nièce une édition ancienne d'*Alice au pays des merveilles.*

En ce dernier jour à Nanterre, tu dresses le couvert pour trois sur la table de la cuisine, mais à la place de ton assiette, tu poses le pot de chambre au fond duquel tu jettes les clefs de l'appartement. Tu ouvres la fenêtre au-dessus de la télévision, tu la débranches pour ne pas mettre le feu et tu laisses entrer la pluie. Tu prends la télécommande, tu la jettes dans le vide-ordures. Puis tu pars en claquant la porte derrière toi.

Tu t'arrêtes à la boulangerie de Rueil où Paul, surpris de te voir, s'inquiète :

— Le bébé va bien ?

— Je viens te dire au revoir. Je me mets en coloc' avec des copains.

— Oh ! Alors je ne te verrai plus ? regrette Paul, les mains dans la pâte à croissants.

— On ne fait que se croiser, de toute façon. On pourrait déjeuner un jour où tu ne bosses pas, juste tous les deux ?

Paul soupire.

— Tu sais comment est Patty. On se voit déjà

peu, ça va encore faire des histoires. Elle me reproche de ne pas m'occuper assez de Louna, mais je vais crever si je ne dors pas !

Tu n'insistes pas.

Paris, huit ans plus tôt

Tu as vite trouvé tes marques dans la grande surface qui t'emploie. La responsable du rayon librairie se débrouille pour que ses clients, venus acheter de la lessive ou du papier hygiénique, repartent avec dans leur chariot un livre qui les fera rêver.

Les jours de pluie, tu préfères le métro au scooter. Ce 24 décembre, tu es assis dans un wagon en face d'une brune aux yeux vairons, c'est troublant. Tu viens juste d'étudier cette particularité en cours de génétique, il s'agit d'une hétérochromie. La jeune femme, habituée à ce qu'on la remarque, détourne le regard. Elle lit un gros manuscrit à reliure spiralée, dont elle arrache les pages à mesure qu'elle les tourne. Son manège attire ton attention. Elle rit et s'émeut en découvrant le texte. Ses yeux s'embuent, sa respiration s'accélère, ses mains se crispent sur la couverture. Elle travaille sûrement dans l'édition. Elle redresse la tête à la station suivante, fourre le manuscrit dans son sac besace du même bleu que son œil gauche, se lève, les feuillets lus dans la main droite. Tu devrais continuer sur la même ligne pour rentrer chez toi, mais tu la suis et descends derrière elle. Sur le quai, elle cherche une poubelle, y jette les feuillets déchirés, avant d'emprunter un couloir qui mène à une autre ligne. Tu les récupères prestement, les caches à l'intérieur de ton blouson et cavales pour la rattraper.

Tu la files ainsi sur deux changements et trois poubelles, sans qu'elle te remarque. Elle marche avec grâce, elle a sans doute fait de la danse, elle déroule son pied d'une façon particulière. Personne ne t'attend, ce soir. Vincent est à la montagne en famille, tes autres colocs ont rejoint leurs parents. Aucun d'eux n'imagine que tu passes le réveillon tout seul. Tu n'as plus de nouvelles de ton frère, Patty doit lui mener la vie dure et ne t'a sûrement pas pardonné le coup de la télé mouillée. Tu es seul au monde, ça te donne un formidable sentiment de liberté : pas de contraintes, pas de repas du dimanche, pas de réunions de famille !

Tu marches derrière la jeune femme jusqu'en bas de chez elle. Elle a jeté les dernières pages dans la poubelle du coin de sa rue. Elle a les mains vides. Tu as tout récupéré.

Tu rentres chez toi, tu étales ton butin de papier, tu prends un rouleau de scotch, tu reconstitues le manuscrit, page après page. Puis, tu plonges dans l'histoire. Tu ignores qui est l'auteur, il y a juste ses initiales, le titre du livre, la mention « premières épreuves » et le nom de l'éditeur. C'est un polar addictif, dont le héros, détective, tombe amoureux de la femme de son employeur. Tu le dévores dans la nuit pour tromper ta solitude.

Depuis que tu as quitté Nanterre, tu te douches une demi-heure chaque matin, même si tes colocs pestent en attendant leur tour. Tu prends ensuite un petit déjeuner de roi qui te leste pour la journée. Tu t'étonnes de t'être soumis pendant quatre ans aux diktats de Patty, au lieu de te rebeller. Sous le choc de la disparition de ta mère, tu as courbé l'échine. On ne t'y reprendra plus.

Le 25 décembre, tu te lèves tôt. Tu t'accordes une douche interminable en vidant le ballon d'eau chaude, tu savoures un œuf à la coque avec des mouillettes et tu files, le manuscrit sous le bras.

Tu attends la jeune femme en bas de son immeuble. Elle a certainement un déjeuner de Noël. Et peu avant midi, tu la vois pousser sa porte cochère. Tu la suis discrètement, comme le détective épie la femme dans le manuscrit. Elle porte des paquets cadeau et une bouteille de vin. Elle est seule, sans mari ni enfants. Hier, elle dansait en marchant, aujourd'hui elle traîne les pieds. La perspective du repas familial ne doit guère l'enchanter.

Elle descend dans le métro, tu t'installes en face d'elle. Tu évites de croiser son regard, tu ouvres le manuscrit et tu commences ostensiblement à lire.

Elle se penche en avant. Tu sens son mouvement mais tu gardes la tête baissée.

— Vous êtes journaliste ? demande-t-elle.

Si tu avoues que tu l'as suivie, elle a toutes les raisons de te prendre pour un *serial killer*. Tu réponds à côté :

— Ce sont des épreuves, le livre n'est pas encore publié.

— Je sais, je connais l'auteur.

Elle fronce les sourcils en repérant le scotch.

— Vous avez déchiré chaque page en deux ? Pour quelle raison ?

Vos voisins, intrigués, écoutent l'échange. Qu'est-ce que ça peut lui faire, à cette fille, ce que ce type lit ?

— Monsieur, je vous ai posé une question ! dit-elle en haussant le ton.

Tu bottes en touche.

— C'est un roman policier qui tient en haleine, malgré quelques longueurs.

Elle tend la main pour saisir le manuscrit, mais tu le refermes.

— Donnez-moi ça, c'est mon exemplaire ! Je l'ai déchiré hier, avant de le jeter. Je n'aime pas lire sur écran. Vous avez fouillé les poubelles du métro, c'est ça ?

Elle ne comprend pas comment c'est possible. Son visage se cadenasse.

— Vous m'avez suivie ?

Tu cites la réplique du héros du roman.

— « Je ne suis pas ce genre de type, j'ai seulement mis mes pas dans les pas d'une fée. »

— C'est une blague pour la télé, une caméra invisible ? demande l'homme d'affaires en costume cravate assis en face d'elle. Vous êtes de mèche ?

— Ils ont l'air sérieux, rigole le jeune rasta à dreadlocks assis en face de toi, qui porte un tee-shirt jaune barré de la citation : « Il faut vous enivrer sans trêve. »

— Vous êtes fou ? te demande la jeune femme.

Tu n'as plus rien à perdre. Le métro ralentit, elle va descendre et disparaître de ta vie avant même d'y être entrée. Tu revois les soirées de l'enfance, tu entends la voix de ta mère autrefois, ton corps se souvient du pouf géant si confortable. Le tee-shirt jaune du rasta n'est pas une coïncidence, c'est un encouragement. Tu récites à l'inconnue :

— « Il faut être toujours ivre, tout est là ; c'est l'unique question. Pour ne pas sentir l'horrible fardeau du temps qui brise vos épaules et vous penche vers la terre, il faut vous enivrer sans trêve. Mais de quoi ? De vin, de poésie, ou de vertu à votre guise, mais enivrez-vous ! »

Elle hausse le sourcil droit. Ses traits se détendent. On ne se méfie pas d'un poète, on l'écoute, on marche avec lui. Les freins du métro crissent. Il s'arrête dans le tunnel avant d'atteindre la station. La chance est avec toi ! Une voix désincarnée interdit aux voyageurs de descendre et assure que le train va bientôt redémarrer. Dieu a entendu ta prière. Tu poursuis sans te démonter :

— « Et si quelquefois, sur les marches d'un palais, sur l'herbe verte d'un fossé, vous vous réveillez, l'ivresse déjà diminuée ou disparue, demandez au vent, à la vague, à l'étoile, à l'oiseau, à l'horloge ; à tout ce qui fuit, à tout ce qui gémit, à tout ce qui roule, à tout ce qui chante, à tout ce qui parle, demandez quelle heure il est. »

Tu as joué ta dernière carte. L'œil bleu de l'inconnue est amusé. Son œil marron reste sceptique. Elle finit le poème d'une voix radoucie :

— « Et le vent, la vague, l'étoile, l'oiseau, l'horloge, vous répondront, il est l'heure de s'enivrer ; pour ne pas être les esclaves martyrisés du temps, enivrez-vous, enivrez-vous sans cesse de vin, de poésie, de vertu, à votre guise. »

Le monsieur en costume sourit. Il se doutait que vous vous connaissiez. Le jeune rasta vous salue en balayant l'air d'un invisible chapeau.

— Baudelaire, adepte de la confiture verte, un homme de goût.

Tu t'étonnes :

— La confiture verte ?

— Le haschich, dit la jeune femme. Comment avez-vous eu ce manuscrit ?

Le métro souffle, soupire, s'ébranle. La rame glisse lentement vers le quai avant de s'immobiliser complètement. Les portes coulissent en chuintant. Tu tends le manuscrit à la jeune femme qui le saisit d'un geste brusque, puis sort du wagon. Tu lui emboîtes le pas. Elle te lance un regard noir pour t'interdire de la suivre dans le couloir des correspondances. Tu obéis, elle s'éloigne dans la foule compacte avec ses paquets et sa bouteille de Noël. Tu te laisses tomber sur un siège en plastique, vaincu. Tu fermes les yeux, on ne gagne pas à tous les coups.

Quand tu les rouvres, elle est revenue devant toi.

— C'est quoi, votre nom ? demande-t-elle.

— Charles. Ce n'est pas une blague ! Mon frère s'appelle Paul, comme Éluard. Notre mère était prof de français.

— Enchantée, Charles. Je m'appelle Aurore, comme George Sand. Je suis attachée de presse. Vous faites quoi dans la vie, à part suivre les femmes dans le métro et fouiller dans les poubelles ?

— Je suis étudiant en médecine. Je veux sauver les mamans des autres.

C'est sorti tout seul.

— On va être en retard, dit-elle. Dépêchez-vous.

— En retard où ? demandes-tu en te levant docilement.

Elle cherche une poubelle des yeux, y plonge le manuscrit rafistolé, et répond :

— Je vais à un déjeuner des esseulés de Noël qu'organise une amie éditrice. Mes parents sont en croisière. Ce sera plutôt sushis que dinde. Vous m'accompagnez ?

Tu opines du bonnet. Et votre histoire commence ainsi.

Île de Groix, Port-Tudy

Urielle rentre à Paris avec les korrigans, Rozenn les dépose au bateau. La mère et la fille se sont tourné autour pendant tout le week-end sans se parler. Les familles parfaites croulent aussi sous les non-dits. Je suis assise à droite de Rozenn, Urielle et les jumeaux sont sur la banquette arrière.

— Je ne lâcherai pas leur laisse de tout le voyage, décrète-t-elle. Une fois m'a suffi !

— Pourquoi es-tu venue ? demande Rozenn en la regardant dans le rétroviseur.

Urielle se crispe, elle croyait repartir sans passer par la case questions.

— Vous me manquiez.

— Tu me prends pour une imbécile, ma fille ? Tu as une mine de déterrée. Tu es malade ?

— Je vais très bien, mais j'ai fait une connerie, lâche Urielle du bout des lèvres.

— Tu es enceinte ?

— Non, ça ne risque pas.

— Tu te remets avec le fichu escogriffe ?

— Jamais de la vie ! C'est juste que j'ai eu tort de monter à Paris.

Rozenn pousse un soupir de soulagement.

— J'étais si inquiète, j'ai cru que tu avais un problème de santé ou que tu emmenais mes korrigans dans l'Himalaya.

Urielle secoue la tête.

— Je rêvais de vivre en ville, je ne suis pas faite pour ça.

Les passagers piétons montent sur le bateau par la droite, les voitures roulent sur le plan incliné à gauche.

— Le bateau partira sans toi si tu n'embarques pas maintenant. Réfléchis, écoute ton cœur. Paris aura été une formidable expérience.

— Plutôt un échec cuisant.

Rozenn se retourne.

— Mes petits-enfants ne sont pas des échecs cuisants, ce sont des fortunes de mer ! Cours, ils vont retirer la passerelle !

Urielle jaillit de la voiture avec les korrigans en laisse. Je tire sa valise jusqu'au bateau et elle me souhaite bonne chance. Ils embarquent.

Île de Groix, au bourg

Nous montons à la poste. Je sens Rozenn soulagée que sa fille soit en bonne santé et ne parte pas à l'autre bout du monde. Livia ne s'est jamais inquiétée pour moi. Je connais mieux Rozenn au bout de trois jours que ma propre mère après vingt-cinq ans.

— Tu as sauvé mon petit-fils, je t'adopte comme filleule, me souffle-t-elle en sortant de la voiture. Tu as une vraie marraine ?

— Oui, la meilleure amie de Liv… de ma mère. Mais elles sont fâchées.

— Depuis ta naissance ?

— Depuis la veille de mon arrivée ici.

Je n'ajoute rien. Elle n'insiste pas.

Rozenn me présente à Marielle, la factrice référente, à Corysande que je vais remplacer, et aux autres.

— On vous attendait, dit Corysande.

Elle se dirige vers un casier, attrape une enveloppe, me la tend.

— Elle vient d'arriver.

Je reconnais l'écriture de Livia. L'adresse sur l'enveloppe est : Chiara Ferrari, Poste restante, 56590 Île-de-Groix, France.

— Vous avez une pièce d'identité ?

Je sors mes papiers.

— Ça veut dire quoi, poste restante ?

— C'est un service qui permet d'envoyer une lettre ou un colis dans n'importe quel bureau de poste à quelqu'un qui est de passage ou qui n'a pas d'adresse fixe.

Je règle ma dette, j'ouvre l'enveloppe, je déchiffre les pattes de mouche de ma mère. « Je suis désolée. Ne m'en veux pas. J'étais jeune, désespérée, j'ai fait une horrible bêtise. Reviens. Oublie. Tu n'aurais jamais dû savoir. »

Ses justifications ne me touchent pas, alors qu'un simple « je t'aime » m'aurait liquéfiée. Je n'ai envie ni de revenir ni d'oublier. Je ne lui en veux pas. Il y a une chance sur deux que je sois une horrible bêtise.

— Tout va bien ? s'inquiète Rozenn, alertée par son sonar maternel.

J'acquiesce.

Je n'ai jamais quitté l'Italie. Et voilà que je vais distribuer le courrier sur une île dont j'ignorais l'existence il y a peu. Groix s'était remplie pendant le week-end, les touristes et les résidents secondaires sont maintenant repartis, le caillou est paisible jusqu'aux grandes vacances. Les commerçants le regrettent, les autres se réjouissent.

— Ma filleule est disponible, décrète Rozenn. Elle est futée, sportive, responsable et digne de confiance.

Les employés m'accueillent chaleureusement, je ne menace aucun emploi.

Je suis pleine de bonne volonté, mais j'ai mal dormi. Et si je me perdais ? Et si je laissais tomber une lettre en route ? J'ai été folle de me porter volontaire !

— Sur l'île, la poste est pour certains le seul lien avec le continent, m'explique Marielle. Beaucoup n'ont pas la possibilité de se déplacer à Lorient pour faire leurs achats. Ils font des commandes en ligne – des vêtements, des pneus de voiture ou des fleurs – et ils attendent le facteur.

Je craignais qu'on me lâche dans la nature, ce n'est pas le genre de la maison. Ici, on ne rigole pas avec le courrier. On me fait signer un contrat de travail pour un remplacement de une semaine. Je suis européenne, mon code fiscal italien prouve que je bénéficie de la Sécurité sociale. Je signe un document qui m'engage à un devoir de réserve, la discrétion s'impose, je suis assujettie au secret professionnel.

— On n'a pas le droit de dire à un tiers si un voisin a reçu ou non une lettre recommandée, précise Corysande. Ni de lire le texte d'une carte postale et de le répéter. Quand des huissiers viennent sur l'île, comme il n'y a pas de noms de rues dans les villages, ils se perdent. S'ils nous posent des questions, nous ne répondons pas. Un facteur n'est pas un délateur !

À Rome, le facteur me donne le courrier de la voisine, me raconte qui est parti en vacances dans l'immeuble, qui a reçu une carte postale d'un cousin de Venise ou d'une nièce des Pouilles.

La poste de Groix a deux voitures et trois vélos pour cinq tournées différentes. Hors saison, le premier bateau arrive à 8 h 50. Une voiture descend au port chercher le courrier et le remonte, puis le tri commence. Les gros paquets sont livrés séparément en voiture. Les facteurs à vélos distribuent le courrier et les petits paquets.

— Je commence à Locmaria et je finis à Locqueltas. L'été, le tri et la tournée durent plus longtemps, je ne touche plus terre, dit Corysande.

— C'est logique sur une île, fais-je, du tac au tac.

À chaque boîte aux lettres correspond un casier à la poste. Les facteurs trient le courrier en glissant les lettres dans ces casiers. Il y a un casier supplémentaire pour le courrier adressé au village de Croix, département 59, qui arrive par erreur à Groix, département 56. Pour mon initiation, je regarde, je prends des notes, je ne touche rien.

Après le tri vient le « décasage ». Chaque facteur prend le courrier des villages dont il est responsable et il le charge dans l'ordre exact de sa tournée. Puis il empile les paquets derrière sa selle. Le vélo pèse trente kilos à vide, plus trente kilos de chargement.

Les remplaçants font en principe trois tournées d'initiation, mais le temps nous est compté. Demain, je serai lâchée en plein ciel, tel un pilote sans moniteur.

— Les recommandés doivent être remis en main propre, insiste Corysande. Tu fais signer les gens sur le terminal portatif. Très important : n'oublie pas d'emporter une bouteille d'eau, un fruit ou un morceau de pain, tu en auras besoin.

— Rozenn m'a prévenue, dis-je en exhibant ma bouteille, une pomme et des galettes bretonnes.

— On ne fait pas pipi chez les gens. L'île n'est pas grande. Si tu dois t'arrêter, tu repasses chez toi, OK ? Et tu te méfies des chiens. J'adore les animaux, mais certains n'aiment pas le facteur !

J'enregistre.

— Tu sais ce que je préfère, dans ce métier ? Je joue au père Noël toute l'année ! J'ai l'impression de distribuer des cadeaux avec ma hotte.

On me confie un vélo électrique. Le dernier qui s'en est servi était plus grand que moi, mes pieds touchent à peine le sol. Quand je l'essaie devant la poste, le vélo s'emballe. Je n'ai pas le réflexe de freiner, le vélo part tout seul et je reste comme une andouille, debout sur la pointe des pieds, tandis qu'il se couche brusquement sur le côté.

Mes collègues m'aident à descendre la selle et je me rassieds en restant sur mes gardes : je sais désormais que l'engin a un caractère ombrageux.

Île de Groix, tournée de Locmaria

Une fois le vélo de Corysande chargé, on quitte la poste, on passe devant la halle, on tourne à gauche sur la route de Port-Mélite pour longer le cimetière. Les morts ne reçoivent pas de courrier, on ne s'arrête pas. Le vélo électrique est plus lourd que ce à quoi je m'attendais, même à vide. Je suis euphorique. À Rome, je porte un casque, la ville est bruyante, mon Scarabeo pétarade, les voitures klaxonnent, les feux rouges bloquent l'élan. À Groix, je vais tête nue, j'appartiens au paysage, il n'y a que des stops et aucun bruit, hormis la corne du bateau qui entre au port. Corysande m'apprend à jauger les conducteurs. Les touristes en voiture de location ne savent pas où ils vont, ils pilent ou font demi-tour sans prévenir. Si ça klaxonne, ça ne peut être qu'une voiture de location. Les vacanciers à vélo ne respectent pas le code de la route, les gamins filent devant sans surveillance et font des écarts très dangereux.

On tourne à droite juste avant Port-Mélite, on

s'arrête devant un hameau pour délivrer le courrier. Il faut descendre du vélo, le caler sur sa béquille, glisser le courrier dans les boîtes, retirer la béquille et repartir. On ne fait pas demi-tour sur un vélo chargé, on recule et on manœuvre.

Direction le « carrefour de l'Apéritif ». À l'époque où les hommes de l'île faisaient la tournée des bars le dimanche, ils se retrouvaient en fin d'après-midi à cet endroit, dans un troquet qui n'existe plus. Aujourd'hui, c'est là que les gendarmes se postent pour faire souffler les conducteurs dans le ballon.

On file entre deux champs. J'éprouve une délicieuse sensation d'indépendance et d'espace. Le mot qui s'impose à moi, c'est « liberté ». Un poème français, que j'ai appris à l'école et dont c'est le titre, surgit des profondeurs de ma mémoire : « Sur mes cahiers d'écolier. Sur mon pupitre et les arbres. Sur le sable sur la neige. J'écris ton nom. » Tu adorerais cette île, Alessio, et le poème de Paul Éluard.

Je vole à la suite de mon mentor, cheveux au vent. J'ai mis des lunettes de soleil, enfilé un gilet de la poste. Mes épaules raides, mon dos courbaturé et mes fesses meurtries me rappelleront ce soir qu'il ne s'agit pas d'un jeu.

Corysande pioche le courrier dans le panier à l'avant, le glisse dans une boîte, repart. Elle s'arrête, tire sur ses bras pour béquiller le vélo, recommence. Je me repère sur le classeur à intercalaires en plastique avec le plan de l'île, le plan du secteur de la tournée, les croquis des hameaux, les points de repère tels qu'un puits, un arbre ou un lavoir. Beaucoup de maisons sont fermées en ce moment.

— Ta tournée fait combien de kilomètres ?

— Vingt.

Je ne regarderai plus jamais les facteurs de la même manière.

— Avec des Tonnerre ?

— Bien sûr.

— Il y a combien de casiers Tonnerre à la poste pour toute l'île ?

— Quarante-huit.

— Et sur ta tournée à toi ?

— Douze.

Je soupire.

— Donc il y a douze Tonnerre qui vivent dans cette partie de l'île ?

— Non. On ne calcule pas en nombre de gens, mais en nombre de boîtes. Il y a plusieurs générations dans la même maison.

— Les gens te racontent leur vie ? Leurs voyages ?

Elle secoue la tête en pédalant devant moi, son cou tourne et ses épaules tressautent.

— On m'offre du café chaud l'hiver ou une boisson fraîche l'été, mais je n'ai pas le temps de bavarder, je dois terminer la tournée.

Les boîtes carrées, aux normes, sont souvent personnalisées avec des décors marins peints à la main.

Je reconnais les bateaux du Rouquin Marteau. Un artisan s'en est fabriqué une qui ressemble à un gouvernail bleu. Il y a aussi des maisons avec des personnages façon crèche.

— *Mèrh eur lihériëw ow* ! s'écrie une dame lorsque Corysande approche.

— « C'est la factrice », me traduit mon mentor. *Meum ès lihériëw udoh.* J'ai du courrier pour vous.

Corysande roule à travers un joli jardin, en prenant soin de ne pas abîmer les fleurs.

— C'est un raccourci ?

— Non, c'est le chemin normal à travers le village, il y a un ancien droit de passage.

Au moment où mes bras espèrent que la tournée touche à sa fin, nous nous arrêtons sur la place derrière l'église Notre-Dame-de-Plasmanec, près d'une boîte jaune.

— C'est une boîte relais. La voiture de la poste est venue nous renflouer, les munitions commençaient à manquer, dit-elle en l'ouvrant avec une clef spéciale. Les affaires reprennent.

Elle recharge son vélo. Nous grignotons nos provisions, puis nous repartons. Nous filons le long des chemins. Corysande glisse les lettres dans les boîtes, petits bonheurs, grands soucis, petites factures, gros montants. Les gens nous sourient, les oiseaux nous survolent, un petit lapin écrasé m'attriste, un chat hiératique me toise. À Locmaria, le village s'enroule autour de l'église comme une écharpe chaude. À Kermarec, il caresse le sable. À Locqueltas, il danse avec la lande. À Lomener, les maisons se rapprochent, les insulaires foncent, leur carrosserie passe à un centimètre des murs de chaque côté, les touristes paniquent à l'idée de rester coincés au point le plus étroit.

Toutes ces maisons, toutes ces boîtes aux lettres me donnent le vertige. Une boîte bateau vert amande se détache sur un mur rose, une blanche à porte bleue s'accroche à une maison, une bleu vif trône au bout d'une barrière de la même couleur, une bordeaux à porte verte s'agrippe à un mur de pierre sèche. D'après le compteur de vitesse, on roule à douze kilomètres à l'heure sur le plat, à vingt-cinq dans les descentes.

À la fin de la matinée, Corysande sourit, encourageante.

— Tu t'en tires très bien. Je vais te donner le numéro de Marielle, puisque je serai au bloc opératoire pendant que tu sillonneras les routes.

Je n'ose pas lui demander de quoi elle souffre. Elle griffonne le numéro sur un papier que je fourre dans ma poche. Je rentre à la maison, crevée et contente. La tournée a duré deux heures et demie.

— Alors ? demande Rozenn.

— J'ai adoré, dis-je, sincère.

— Tu as de la chance, il fait beau.

— Je croyais que l'île était plate, mais ce n'est pas du tout le cas ! C'est une succession de montées et de descentes, dis-je en me massant les mollets.

Je plonge une main dans ma poche et trouve le papier que m'a donné Corysande. Je le déplie. La factrice référente s'appelle Marielle Tonnerre. D'après Perig, c'est son mari qui descend de Jan Tonnerch.

Île de Groix, cinéma des Familles

J'ai proposé à Dider, Rozenn et Oanelle de m'accompagner au cinéma, ils ont refusé. Depuis l'accident d'Oanelle, ils n'ont plus la télévision, ils craignent qu'une image la traumatise. Elle est fragile, un rien la panique, il lui arrive d'avoir des crises d'épilepsie. Ils se rattrapent avec la musique, les livres, la nature, prétendent que ça ne leur manque pas. Et Dider fatigue sa fille en l'emmenant marcher : quand elle se dépense physiquement, elle est plus calme.

Le nom officiel du cinéma est Le Korrigan, mais tout le monde l'appelle le cinéma des Familles. Ce soir, le cinéclub Cinéf'îles propose *Stromboli* de Rossellini, en VO. Entendre ma langue maternelle me fera du bien, je m'installe au sixième rang. Nous sommes une vingtaine dans la grande salle. Je m'enfonce dans mon fauteuil.

Gabin entre au moment où la lumière s'éteint. Il m'aperçoit, s'assied juste devant.

Je me penche :

— Je ne mords pas.

Il recule d'une rangée pour se placer près de moi. Le logo de la production italienne envahit l'écran. Après le dîner où nous étions quatorze à table, il s'était assis avec Urielle au bout de la digue de Port-Lay, jambes pendantes au-dessus de l'eau noire, et ils avaient parlé longtemps tous les deux en regardant au loin les lumières de la grande terre. Je souffle :

— Je pensais que tu rentrerais avec Urielle.

— Je déteste Paris, grogne-t-il.

On regarde le film en silence. Les Greks découvrent sur l'écran une île dont le volcan écrase tout. Ingrid Bergman est bouleversante. J'ai la gorge serrée. Quand nous sortons de la salle, je n'ai pas envie d'aller me coucher.

— On boit un verre chez Beudeff ? propose l'écrivain.

Nous cinglons vers le port pour rejoindre le bar mythique, connu des Açores jusqu'aux côtes bretonnes. Une joyeuse bande descend des bières en chantant, on s'assied à une table libre. Nos voisins beuglent : « Buvons un coup, buvons-en deux, à la santé des amoureux, à la santé du roi de France ! »

— C'est un chant de corsaires en l'honneur de Surcouf. J'adore Groix, dit Gabin avec enthousiasme. J'ai rencontré Perig, il est passionnant. Il m'a présenté son ami Kerwan, un ancien capitaine au long cours qui veut que je lui écrive ses mémoires. Tu te sens d'attaque pour ton remplacement à la poste ?

— Ça dépend des moments.

Il offre la première tournée, je souris parce que c'est le même mot que la tournée de Locmaria. J'ai soif, je bois trop vite. Il se penche vers moi.

— Qu'est-ce que tu caches, Chiara ?

— Pardon ?

— Arrête de nous balader. Tu es quoi, au juste ? Enquêtrice ? Avocate ? Journaliste ?

— Je travaille dans une librairie.

— Tu poses trop de questions. Dis-moi la vérité. Je peux t'aider ?

— On ne se connaît pas.

— Pourtant, on se ressemble.

— Ah oui ?

— Nous sommes deux étrangers sous le charme de l'île aux sorcières. Elle nous a jeté un sort. Elle nous a choisis. Tu ne te sens pas ensorcelée ?

Je hausse les épaules et je commande une deuxième tournée pour ne pas être en reste. Livia ne m'a pas câlinée, mais elle m'a bien élevée. Il fait chaud, la bière est fraîche.

— C'est qui, ce Tonnerre que tu cherches ? Ton amant ? insiste Gabin.

— N'importe quoi !

— Un ami ?

— Mon unique ami s'appelle Alessio, il est resté à Rome.

Je bois deux longues gorgées. J'ai l'intention de l'envoyer paître, mais brusquement, mes barrières tombent. Mon secret est trop lourd. Je ne risque rien à me confier à Gabin : il n'est pas d'ici, il va sortir de ma vie. Je ne suis plus très sûre d'avoir eu raison de venir.

— C'est peut-être mon père, dis-je si bas qu'il me fait répéter. Je suis soit l'enfant de l'amour, soit l'enfant du limoncello. Ne le répète pas.

Il commande une troisième tournée, lève son verre d'un air solennel.

— Ça ne sert à rien, un père, crois-moi. Pour le peu que j'en sais, c'est juste un rival avec qui faire des concours de zizis à qui pisse le plus loin !

— Je n'ai pas de zizi, dis-je.

— Moi, je n'ai pas de père.

— Bonsoir, les jeunes !

On se retourne. Accoudé au bar, Perig boit seul, et il a pris de l'avance.

— Une bonne *beudazée*, c'est bon pour la santé, décrète-t-il avec emphase. Un verre, c'est trop, trois verres, c'est pas assez. À la vie, à l'*arvor* !

— Gabin dit qu'un père, ça ne sert à rien, dis-je poliment pour le faire participer à la conversation.

Perig dessaoule d'un bloc, je vois presque l'alcool refluer de ses veines.

— Ça sert à protéger ses enfants, dit-il. Normalement. Enfin, ça devrait.

Je me rappelle une seconde trop tard ce qu'Urielle

m'a raconté à propos de son fils. Je cherche une phrase compatissante, mais il n'y a pas de mots pour atténuer ce chagrin-là. Perig plonge la main dans sa poche, en sort son portefeuille, me montre une photo cornée où un enfant pêche avec deux géants sur une petite barque. Perig est le géant de gauche.

— Je n'ai pas réussi à empêcher l'Ankou d'emmener mon fils. J'ai failli à ma mission.

— L'Ankou ?

— Le serviteur de la mort en Bretagne. Il vient avec sa charrette grinçante chercher les trépassés. Si un vivant entend sa charrette, il meurt dans l'année. Mon fils nous a parlé de bruits étranges, j'ai pris ça à la rigolade, alors que c'était cette saleté d'Ankou ! Le dernier mort de l'année dans la paroisse devient l'Ankou de l'année suivante. L'année d'avant, c'était un de mes amis d'enfance, j'étais tranquille, j'avais confiance !

Je pense à Viola. On ne peut pas faire confiance aux amis d'enfance. Perig commande la quatrième tournée. Mon troisième verre est encore plein. Je lève les paumes en signe de reddition. Ça suffit pour ce soir. On m'attend à la poste demain matin.

Île de Groix, Port-Lay

Cette nuit, je rêve que toute cette histoire est un mirage, que je reprends le bateau pour *An Oriant* et que, quand je me retourne, *Enez Groe* s'est volatilisée. Inquiète, j'interroge les autres passagers qui s'étonnent : « Groix, vous dites ? Connais pas. Il n'y a jamais eu d'île ici. Vous avez des hallucinations. » Je me réveille en sueur. Je sors dans le jardin vérifier qu'il y a de la terre sous mes pieds. Je touche les hortensias. Je regarde le petit port avec les barques de pêche, l'océan après la digue, le continent de l'autre côté de l'eau. Le dauphin est parti danser ailleurs. Un bruit me fait sursauter. Oanelle sort, pieds nus dans l'herbe humide, elle ne me voit pas, tourne sur elle-même, derviche impassible, je compte vingt tours. Puis, elle repart se coucher.

Je mets du temps à me rendormir. Je me récite une autre strophe du poème. « Sur chaque bouffée d'aurore. Sur la mer, sur les bateaux. Sur la montagne démente. J'écris ton nom. Liberté. »

Paris, six ans plus tôt

Tu as vingt ans et du mal à respirer. Les résultats du concours d'entrée en seconde année de médecine viennent d'être affichés. Si tu as réussi à passer le barrage, tu seras un homme, mon fils, tu sauveras les mamans des autres, ton existence aura un sens.

Aurore t'attend au café de Flore. Vous commanderez du champagne pour fêter ça ! À force de l'accompagner dans les cocktails littéraires, tu as pris goût aux bulles. Tu as emménagé chez elle une semaine après votre rencontre, au cœur du Quartier latin. Une bibliothèque est un cellier de livres, une cave est une bibliothèque de vins, votre lit est un joyeux radeau sur lequel vous buvez et lisez des textes à voix haute.

Tu as raté le concours l'an dernier, tu bosses comme un dingue depuis. Aurore te l'a reproché, tu es moins drôle, plus stressé, moins disponible, mais c'est non négociable : si tu échoues une seconde fois, c'en sera fini de ton rêve. Bien sûr, il n'y a pas que la médecine dans la vie. Prof de français, c'est fantastique. Boulanger, c'est superbe. Attaché de presse, c'est génial. Libraire, c'est formidable. Mais toi, tu veux être médecin.

Tu marches vers le hall bondé où les étudiants se pressent. Tu croises Vincent qui hurle sa joie. Puis une amie, les joues ruisselantes, le rimmel en débandade. Ton téléphone vibre dans ta poche. Aurore t'envoie un SMS. « Je t'attends, Charlie, je suis avec toi. » Elle a peur que tu fasses une bêtise en cas d'échec. Hier, vous avez parlé de suicide, d'un écrivain qui a voulu en finir. Tu lui as juré que tu ne ferais jamais ça. Elle a eu l'air rassurée.

Tu tiens trop à la vie pour la terminer brutalement. Ta mère te tuerait à ton arrivée là-haut si tu t'avisais d'abréger tes jours.

Île de Groix,
tournée de Locmaria

Le premier bateau a apporté le courrier, le tri peut commencer. Les lettres glissent dans les casiers, je ralentis la cadence pour ne pas me tromper, je souris stupidement, j'ai les mains moites et un mal de crâne coriace à cause de la bière d'hier soir. Les noms sont musicaux et plaisants à l'oreille, ils fluent et refluent comme la marée : Yvon, Stéphan, Pouzoulic, Bihan, Calloch et toujours ces Tonnerre qui explosent dans ma tête, et toujours ce Ferrari qui vrombit et gronde.

Marielle m'aide à charger mon vélo en classant le courrier dans le bon ordre. Rien au nom de Tonnerre ce matin sur les douze boîtes de la tournée de Corysande. Je ravale ma déception.

Le vélo électrique est difficile à manœuvrer avec le poids des paquets, j'ai du mal à trouver mon équilibre sur les premiers mètres, je serre les dents, crispe les mains sur les poignées. Je baptise ma monture Pégase. Le cheval ailé de la mythologie grecque me rendrait bien service. Pégase est mon complice, je lui promets de prendre soin de lui. Fière de ne pas me casser la figure, je file sur la route déserte. Hier soir, quand je rentrais de chez Beudeff, des petits lapins me tournaient le dos et bondissaient par-dessus les herbes hautes au bord de la route en présentant leurs queues blanches dans la lueur des phares. Aujourd'hui, ils font la grasse matinée.

Le début de la tournée se passe sans encombre, même si ce n'est pas évident. Il fait beau, les fenêtres sont ouvertes, les Groisillons désherbent, taillent, bricolent, repeignent, promènent leurs chiens. Je me renseigne, on m'explique, on me vient en aide.

En ouvrant une boîte pour y poser une lettre, je trouve deux bonbons. Je préviens le monsieur qui habite là qu'un enfant lui a fait une farce. Il sourit.

— C'est pour toi, *co* !

— Pour moi ?

— Pour te donner du courage ! Tu n'aimes pas les bonbons ?

— Si, bien sûr !

Je souris. Groix est une oasis de paix au milieu du chaos. Hier, je suis passée chez Damien le verrier chercher un cadeau pour remercier Rozenn de son hospitalité. J'ai remarqué la photo d'un vieil homme près du chalumeau. « Votre grand-père ? » Non, un ami, un monsieur âgé qui habitait en face et aimait le regarder créer. La photo reste, même si l'ami est parti. Cette île, entourée d'eaux violentes, est remplie de farouches délicatesses.

Plus loin, je m'arrête dans une impasse. Un homme râle parce que j'ai appuyé mon vélo contre sa barrière à la peinture écaillée – Corysande m'a prévenue, ce Parisien est né de mauvaise humeur. Je rassure une dame, sa commande va sûrement arriver, peut-être demain ? Je croise des chiens hilares, des chats méfiants, des goélands criards. Je m'habitue lentement aux sensations du vélo électrique.

Mon cœur s'emballe à la première boîte Tonnerre que je vois, même si je n'ai aucun courrier à y glisser. La dame qui a l'âge de *nonna* Ornella s'étonne de l'absence de Corysande. Je la tranquillise, c'est temporaire. Je cherche une ressemblance, il n'y en a aucune. Je n'ose pas lui demander si elle a un fils qui est allé en Toscane il y a vingt-six ans.

Je pourrais être la petite-fille de chaque personne âgée, la fille de chaque homme, la tante de chaque enfant. Mais je ne rencontre aucun ado.

Perig m'a expliqué qu'autrefois, il n'y avait pas de collège à Groix. Dès l'âge de onze ans, les écoliers allaient à Lorient. Aujourd'hui, il y a deux collèges sur le caillou, les ados partent seulement pour le lycée. Mais au-dessus de force 7, la compagnie qui possède le bateau ne couvre pas les dégâts. S'il fait mauvais le vendredi soir, les lycéens restent à Lorient le week-end. Autrefois, du temps de son fils,

Gurvan, le bateau passait toujours. Jamais un capitaine n'aurait laissé les enfants sur le continent après une semaine en pension loin de l'île. C'étaient des capitaines de mer, d'anciens pêcheurs reconvertis. Rien ne leur faisait peur et le bateau tenait la vague. L'eau rentrait dans le bateau, les ados débarquaient trempés et ils se séchaient au coin du feu. Gurvan adorait ça.

On m'offre un café, je refuse, pas le temps. On me propose du *gwastell*, une brioche locale, ça me requinque. J'arrive à la boîte relais derrière l'église, je panique à l'idée d'avoir perdu la clef. Ouf, je la retrouve, je charge de nouveau mon vélo.

Je m'arrête. J'attrape le paquet de lettres. Tous ceux que je croise me sourient alors que, sans mon gilet jaune, ils ne me verraient pas. Je crée du lien, j'apporte des nouvelles, je suis la vie. À Locmaria, le village s'enroule encore autour de l'église. À Kermarec, il continue à caresser le sable. À Locqueltas, il virevolte sans trêve avec la lande. À Lomener, je grince des dents en passant dans la chicane des maisons. Hourra, j'ai terminé, j'ai tout distribué, j'ai réussi !

De retour à Port-Lay, je veux m'allonger un quart d'heure sur mon lit. Je suis si exténuée que je m'endors dès que ma tête touche l'oreiller. Je rêve que je pédale sur une pente abrupte, mon père inconnu m'attend en haut, mais chaque fois que j'atteins le sommet, une force mauvaise me ramène en bas et tout est à refaire. J'entends vaguement que la porte s'ouvre, Rozenn souffle que mon déjeuner est au frigo, je n'ai pas la force de lui répondre. La prochaine fois que je recevrai une lettre, je saurai ce qu'il a fallu d'efforts pour l'acheminer jusqu'à moi.

Île de Groix, le vélo de la poste

Le Vélo de la tournée de Locmaria se repose chaque après-midi en se rechargeant. Il ne comprend pas pourquoi la factrice *bis* l'appelle Pégase, ce n'est pas son nom : il a un numéro de série indiqué sous son cadre, près de la boîte du pédalier, qui lui sert d'identité.

Il appelle Chiara la factrice *bis* parce que le mot remplaçante ne signifie rien pour lui, au contraire de *bis* et *ter*, qui figurent sur les adresses de la grande terre.

Le Vélo sait que la factrice *bis* ne restera pas longtemps, il le regrette, il apprécie ses attentions. Corysande ne lui parle jamais, alors que Chiara lui demande son avis, elle le flatte, le caresse, l'estime.

Quand même, ça l'interpelle qu'elle l'appelle par le nom d'un cheval. Il connaît les chevaux du centre équestre de Kerbus, il ne comprend pas qu'elle le confonde avec eux. Le Vélo est électronique, solide, il ne hennit pas, ne désarçonne pas ceux qui l'enfourchent, ne laisse pas derrière lui ce crottin malodorant dans lequel il a roulé un jour d'inattention de Corysande, horrible souvenir ! Elle le prend pour un canasson, *co* ? Il n'est pas un bourrin, il est la fine fleur de la technologie !

Il perçoit dans son armature les émotions de celui ou celle qui le conduit. Chiara, il le sent, est une pile de nerfs, aussi chargée que sa batterie le matin. Il a plusieurs fois évité qu'elle tombe, il n'a pas intérêt à ce qu'elle se blesse.

Le Vélo n'est pas salarié de la poste, il est lié à elle, elle pourvoit à son entretien, elle a besoin de lui, il est utile au monde, il est investi dans la vie de l'île.

Il ne comprend pas pourquoi la factrice *bis* l'appelle Pégase. Mais après tout, si ça lui plaît, il n'a rien contre.

Paris, quatre ans plus tôt

Tu t'appelles Louis. Tu n'es jamais allé en Italie ni en Bretagne. Tu ne connais pas Chiara Ferrari. Il y a statistiquement peu de chances que vos routes se croisent un jour.

Tu prends aujourd'hui ta première garde d'externe en réanimation. Ton cœur ébranle ton thorax à chaque battement. Tu respires à fond avant de pousser la porte dont l'accès est interdit au commun des mortels. Les infirmières voient entrer un grand garçon au regard turquoise, en jean et tee-shirt sous sa blouse blanche d'externe, chaussé de Nike vertes.

— C'est toi le copain de Florian ? Bienvenue dans le service ! Tu remplaces Sophie qui est enceinte. Tu es en quelle année ?

— Quatrième.

— Le vestiaire est là-bas. Tu as déjà été en réa ?

— Pas encore, j'ai surtout fait de la consult.

— Nos règles d'asepsie sont draconiennes. On fait la guerre à la mort et aux infections nosocomiales. Numéro un : tu te désinfectes les mains en arrivant, après chaque patient et en partant.

Tu sors un carnet et un stylo bille de ta poche de poitrine. Le tuyau d'un stéthoscope de la couleur de tes yeux dépasse de ta poche latérale. Tu notes les règles avec application. Puis tu remercies.

— Florian m'avait déjà tout expliqué, mais deux précautions valent mieux qu'une. Je ne connais pas vos goûts, alors j'ai acheté des beignets. Vous préférez le salé ou le sucré ?

L'infirmière blonde qui a une tache de vin sur la joue se tourne vers la rousse à chignon.

— Florian l'a bien briefé.

— Tu feras régulièrement la tournée des lits, tu vérifieras les constantes et les scopes, tu aspireras les malades ventilés. On n'arrive pas comme un éléphant dans un magasin de porcelaine, l'aspiration est un geste angoissant, il faut prévenir le patient, agir avec délicatesse, mais pas trop lentement non plus parce qu'il ne respire pas pendant que tu le débranches, tu comprends ?

— Il ne faut pas le plier, affirmes-tu en citant Florian.

La première fois qu'il a employé cette expression, tu n'as pas compris. Plier un malade en deux, comme on range des draps dans une armoire ? Ton copain a éclaté de rire : plier, c'est tuer. Un médecin qui commet une faute médicale plie un malade sans le faire exprès. Résultat, deux vies foutues, la sienne et celle du patient dont il a trahi la confiance.

— Si tu as le moindre problème, n'hésite pas à nous appeler, insiste l'infirmière blonde.

Elle s'appelle Mona, c'est écrit sur sa blouse.

— Tu es externe, pas interne ni chef de service, poursuit-elle. On ne t'en voudra jamais de demander conseil. En revanche, on ne te pardonnera pas de faire une connerie par arrogance. Je bosse ici depuis dix ans. J'ai vu passer des externes stupides qui se croyaient malins, et des externes super qui ont beaucoup appris. Choisis ton camp.

Tu promets de ne pas faire l'imbécile. Tu suis Mona qui te fait visiter le service. Le patient du premier box est un vieil homme au teint gris dont la poitrine se soulève au rythme du respirateur qui insuffle de l'air enrichi en oxygène dans ses poumons. Le type est maigre, ses mains se crispent sur les draps, sa vie a désormais le tempo de la machine. Sans elle, il serait un poisson hors de l'eau. Tu lui souris pour lui transmettre l'énergie de ta jeunesse. Mona enfile des gants et te montre comment aspirer ses mucosités.

— Bonsoir, monsieur Martin. J'explique à notre nouvel externe comment nous procédons dans le service. Il sait tout ça, mais chaque réa a ses habitudes. Avant d'inspirer un patient intubé ou avec une trachéo, tu dois l'examiner, regarder sa couleur, son pouls, sa fréquence respiratoire, vérifier qu'il n'est ni en sueur ni cyanosé, tester la pression du ballonnet, la fixation de la sonde, et le système d'aspiration. Tu te laves les mains. Tu enfiles des gants. Tu adaptes la sonde d'aspiration au stop-vide, tu la sors de son emballage sans la toucher et tu la tiens avec une compresse stérile. Tu me suis ? Tu fais ça après avoir désactivé les alarmes, évidemment.

Tu acquiesces en essayant de retenir ses gestes.

— Tu ouvres le capuchon du raccord qui va du respi à la sonde, tu glisses la sonde dans l'orifice, sans l'enfoncer trop loin. Tu n'aspires pas quand la sonde descend, tu ne fais pas de va-et-vient. Tu aspires par intermittence en remontant doucement. Après tu refermes le capuchon du raccord, tu réactives les alarmes. Tu jettes la sonde et la compresse. Tu rinces le système d'aspiration avec la solution de rinçage. Tu te relaves les mains.

Elle procède doucement, avec l'aisance d'une longue habitude. Le patient suffoque, puis l'oxygène le rassure, la machine merveilleuse lui permet de survivre. Tu croises son regard, soulagé, plein de gratitude.

— À tout à l'heure, monsieur Martin. Louis est un ami de Florian, le moustachu aux lunettes bleues. Il travaillait dans un autre service de réa avant, mais il était tellement bon qu'on l'a débauché, et maintenant il bosse pour nous !

Le patient lève la main pour montrer qu'il a compris.

— Ne jamais dire à un patient qu'il essuie les plâtres et que tu n'as pas d'expérience, te souffle Mona dans le couloir. Il paniquerait, il respirerait plus vite, contre la machine, et on serait dans la merde. Si tu ne sais pas, tu prétends avec aplomb que tu sais et tu nous demandes discrètement. D'accord ?

Tu hoches la tête.

— Il va guérir ?

— Il est vivant, élude Mona. On lui donne des antalgiques pour qu'il ne souffre pas. Il tient la main de sa femme quand elle vient le voir et elle cache ses larmes. Ses enfants l'entourent, il leur écrit des mots tendres sur une ardoise magique, il rit parfois, il arrive qu'il pleure. C'était un gros fumeur. Il dit à son fils que s'il continue à cloper il finira comme lui. Son fils ne le croit pas. Lui non plus n'a pas cru son père.

— Personne ne fume dans ce service ?

— Personne ne dépasse un demi-paquet par jour.

— Je peux aspirer le prochain malade devant toi, pour vérifier si j'ai bien tout capté ?

— Ne t'inquiète pas, je ne vais pas te lâcher dans le grand bain tout seul.

Vous entrez dans le second box. Tu tressailles, une ravissante jeune femme noire est reliée à la machine, tu t'attendais à une personne âgée.

— Bonsoir, madame Fatou. Louis est notre nouvel externe. Ses yeux ont la couleur des mers du Sud et de ses baskets vertes, il va vous aspirer pour vous aider à respirer, dit gaiement Mona.

— Elle ne vous entend pas, elle dort, murmures-tu, surpris.

— On ne sait jamais ce qu'un patient entend. Dans le doute, on fait comme s'il était conscient. Mme Fatou est entrée dans le service pour une cardiomyopathie du postpartum, une insuffisance cardiaque deux mois après son accouchement. On la fait dormir artificiellement pour qu'elle ne lutte pas contre le respirateur. Montre-moi ce que tu sais faire.

Tu récapitules mentalement les gestes à effectuer, tu enfiles des gants, tu t'exécutes. Ton cœur saute un battement à l'instant où tu rebranches le respirateur, tes mains tremblent, tu es en sueur. La belle jeune femme allongée frémit, la machine sans visage redevient son poumon. Toi aussi, tu respires mieux.

— C'est presque bien, dit Mona.

— J'ai oublié un truc ? t'inquiètes-tu en relisant ton carnet. Je ne vois pas…

— Tu n'as pas réactivé les alarmes.

— Merde, c'est vrai !

Tu t'empresses de corriger ton erreur.

— Tu t'en es bien tiré. Et tu n'oublieras plus jamais les alarmes. Viens que je te présente au reste de l'équipe.

Tu es formidablement heureux de soulager ces inconnus qui ont confiance en toi. Soigner, sauver, cela procure une joie incroyable, mieux qu'une drogue. C'est le plus beau métier du monde.

Île de Groix,
pointe des Chats

Je me suis réveillée en sursaut vers 17 heures. Je ne fais plus la sieste depuis mes dix ans, mais cette première tournée m'a épuisée. J'ai grignoté avec reconnaissance la viande froide laissée à mon intention, puis l'envie me prend d'aller rendre visite à Perig. Urielle m'a prêté son vélo, je le pousse en marchant dans la montée de Port-Lay, et je pédale jusqu'à Kermarec en regrettant mon Pégase du matin.

Je n'entends pas de musique. La porte s'ouvre. J'ai du mal à reconnaître Aziliz. Ses yeux sont creusés et vides, sa bouche a un pli amer, une ride profonde barre son front. Elle reste sur le pas de la porte sans m'inviter à entrer. Je panique, j'aurais dû vérifier que Perig était rentré à bon port cette nuit.

— Je vous dérange ?

— Perig est sur la plage, près du phare des Chats. Avec Gurvan.

Elle tend le doigt vers la photo de l'adolescent devant l'océan, sur la cheminée. Je comprends tout de suite. Moi aussi, j'ai grandi entourée de cadres pleins de rires et de larmes.

J'aperçois le chapeau rouge du petit phare qui appartient au Conservatoire du littoral. Le camping d'à côté s'est vidé après le week-end, Gabin a déménagé à Port-Mélite chez le capitaine Kerwan. Aucun baigneur ne trouble la surface grise de l'océan. Perig est là, échoué sur un rocher, la carcasse ramassée, les yeux rivés sur l'eau, si concentré qu'il ne m'entend pas approcher et sursaute quand je m'assieds à côté de lui.

— Aziliz m'a dit où vous trouver.

Il hoche la tête sans quitter du regard les vagues qui déferlent à un rythme régulier et viennent mourir sur les roches argentées. Je me donne dix minutes. Si ma présence l'importune et qu'il continue à se taire, je m'en irai. Nous restons là, immobiles. Au bout de neuf minutes cinquante secondes, je replie les genoux pour me lever. À neuf minutes cinquante-neuf secondes, il ouvre la bouche :

— Tu tombes bien, Chiara. Je n'avais pas envie d'être seul aujourd'hui.

Je ne bouge pas.

— Aziliz ne supporte plus que je lui parle de Gurvan. Nos amis se sentent impuissants face à notre douleur, ils sont gênés quand j'aborde le sujet.

Ils voudraient que j'aille de l'avant, mais je ne peux pas. J'ai besoin de croire qu'il peut revenir. Ils me prennent pour un fou parce que je continue à espérer. Tu te demandes à quoi ça sert, un père ? À protéger. Et à attendre. À ne pas écouter la voix de la raison, à ne pas tourner la page, à ne pas baisser les bras. À les tendre, au contraire.

Je ne quitte pas l'océan des yeux. Je ne regarde pas dans sa direction. Je respire le plus doucement possible.

— La dernière fois que j'ai vu Gurvan, on s'est engueulés. Alors que j'aurais dû lui hurler mon amour, que ça lui serve de putain de passeport et de rame pour son voyage par-delà les mers. J'étais si fier de notre garçon, je ne le lui ai jamais dit… Il croyait qu'il me décevait. Mais je voulais l'instruire, l'endurcir, lui offrir le monde ! Nos ancêtres étaient des marins grandioses. Moi, ce sont les livres qui m'ont aidé à surnager, à fendre les flots, à naviguer au milieu des mots et des émotions. Aziliz aussi est une fervente lectrice. Quand elle est plongée dans un roman, on soupe de pain et de rondelles de saucisson ou de rillettes de poisson. Mais notre fils est né fâché avec la lecture et doué pour le sport. Un beau gamin, large d'épaules, champion de planche à voile, qui restait des heures à contempler la mer et à interroger le vent. Il n'ouvrait jamais un livre. Ça me rendait fou, je ne comprenais pas. Ce jour-là, la toute dernière fois que je l'ai vu, je lui ai dit :

« Tu passes à côté de l'essentiel, les performances sportives n'ont qu'un temps, n'importe quel imbécile peut courir vite ou monter sur une planche, ça n'a rien de glorieux, c'est banal. » Il a encaissé. Je l'entends encore me répondre : « Tu te trompes, papa, tu vis des défis de papier et des aventures par procuration. Moi, je ressens les compétitions et les régates dans mon corps, mes muscles, mon souffle. Je les vis, je les vibre, en vrai, avec mon Windsurf. Toi, c'est pour de faux, du chiqué, du play-back ! » Humilié, j'ai rétorqué : « Ce n'est pas un petit véliplanchiste de pacotille qui va m'apprendre la vie ! Tu te prends pour un cador, mais tu n'es qu'un minable, un zéro, réveille-toi ! Et parle français ! » Ébranlé, il m'a balancé : « J'ai lu trois livres dans ma vie, l'un d'eux était le tien, les trois m'ont fait perdre mon temps. » On était là, exactement à cette place. Aziliz nous avait préparé le même pique-nique.

Je remarque, sur le micaschiste argenté qui diffracte les rais de soleil, deux gobelets, deux sandwichs, une canette de bière et une boisson hypervitaminée.

— J'étais vexé, touché au plus profond. Ce n'était qu'un adolescent bravache, j'aurais dû réfléchir, prendre du recul. Il était dyslexique, l'école était une torture pour lui, il renaissait dès qu'il posait un pied vainqueur sur sa planche. Là, il était le roi du monde ! Les copains qui se moquaient de ses mauvaises notes au collège l'applaudissaient dès qu'il saisissait le *wishbone*. Il devenait un jeune dieu splendide. Mais moi, stupide écrivaillon rivé au sol, alourdi par mes semelles de plomb, tordu sous le poids des livres que je rêvais d'écrire, je voulais le façonner à mon image. Alors je l'ai écrasé.

Il frémit, serre les poings, secoue la tête, le visage crispé.

— S'attaquer à mon livre, c'était le pire qu'il pouvait me faire, il en était conscient. Œil pour œil, dent pour dent, j'ai visé son point faible. Et ça l'a noyé.

Je tressaille.

— Il niait mes qualités d'écrivain. Je l'ai ridiculisé avec une belle phrase de journaleux. Je me suis cru malin, j'ai été cruel et puéril. Je lui ai dit qu'il lisait comme un bébé. Je lui ai dit qu'il me faisait perdre et mon temps et mon argent.

Je reste pétrifiée.

— Gurvan a serré les mâchoires et éclaté de rire. L'argent était un sujet délicat entre nous. À l'époque, j'avais des difficultés financières, une tempête avait fait tomber un arbre sur le toit. Je cisèle peut-être les mots, mais je n'ai pas l'âme d'un bricoleur, je suis incapable de changer des tuiles. Les réparations excédaient mon budget. Gurvan ne me coûtait pas un centime, il avait gagné plusieurs championnats et ses sponsors lui offraient du matériel et des vêtements techniques. Il avait signé un contrat juteux, l'argent était bloqué sur un compte bancaire jusqu'à sa majorité. Moi qui passais mon temps à lire, je ne comprenais pas que mon garçon puisse mieux gagner sa vie que moi en faisant l'andouille en maillot de bain devant des groupies illettrées. Je me sentais humilié par la réussite de mon fils. Je l'ai blessé pour me venger.

Sa voix se morcelle.

— Il a avalé son sandwich au beurre de cacahuète sans me répondre. Il a bu sa foutue boisson de sportif. Puis il a marché vers l'eau en longues foulées souples. Il devait tester une nouvelle planche haut de gamme, prétendument indestructible. D'un coup de reins, il est monté dessus, à un mètre du bord, il a ramené le mât vers lui, et a glissé ses pieds dans les *footstraps*. Il a rejeté ses cheveux trop longs en arrière, s'est cambré brusquement et il a pris la mer. Il n'est jamais revenu.

J'écarquille les yeux.

— On n'a rien retrouvé, ni sa planche ni son corps. L'océan les a engloutis. Je rêve souvent qu'il a navigué droit jusqu'en Amérique, changé de nom, changé de vie. Je continue à espérer qu'un jour il descendra du bateau avec sa femme et ses enfants. Il aura grandi, mais je le reconnaîtrai. Ou alors je me persuade qu'il va aborder ici, sur sa planche, en riant de sa bonne farce. Il aura faim et soif.

» Tous les ans, à cette date, je viens là avec ce fichu sandwich au beurre de cacahuète et je l'attends.

Il ne quitte pas l'horizon des yeux.

— Chiara, je ne suis ni sénile ni idiot, je sais que c'est impossible, mais ça me fait du bien. Aziliz m'accompagnait les premières années, et elle a cessé. Nous survivons chacun à notre façon.

Il s'arrache à regret à la contemplation de l'eau, pose sur moi des yeux injectés de sang.

— C'est ça aussi, un père. Un type qui croit bien faire et qui flanque tout en l'air. Un homme d'expérience qui réagit comme un môme. Un connard vaniteux qui se venge d'un gamin en le poignardant dans le dos. Tu cherches ton père, n'est-ce pas ?

Je me fige.

— Tu n'es pas là pour ta marraine, tu es là pour toi. Je me trompe ?

— Gabin a été indiscret ?

— Non. Ta voix t'a trahie. Elle se fendille et elle s'ébrèche quand tu cites les Tonnerre.

L'heure n'est plus aux mensonges. Nous sommes seuls sur la plage où le fantôme de Gurvan tend l'oreille pour entendre ma réponse.

— Qu'est-ce qui te fait croire qu'il est sur cette île ? insiste-t-il.

— Ma mère a perdu son mari juste après leur mariage, il y a vingt-six ans. Elle est allée sur l'île d'Elbe, a noyé son désespoir dans l'alcool et elle a passé une nuit avec un Groisillon, dont le nom ressemblait à Éclair. Quand elle s'est retrouvée enceinte, elle n'a pas su lequel des deux était le père.

Je l'ai appris la semaine dernière. C'est la raison pour laquelle je suis venue.

— J'ai compris à ton regard chez Beudeff combien c'était important. Tu croyais avoir un jeune père italien. Tu te sentirais mieux en découvrant un vieux père français ?

— J'ai besoin de savoir.

— Même si c'est un salaud ou un idiot comme moi ? Es-tu certaine que le jeu en vaut la chandelle ?

— Vous allez m'aider à le chercher ? dis-je.

— Je ferai le maximum. Je te le promets.

Je souris.

— Je vais te raconter l'histoire d'un patron pêcheur de la génération de mon père. Il avait foutu des coups de sabot à un mousse, un môme de treize ans qui lessivait le pont, épluchait les patates, nourrissait sept hommes par tous les temps, dans le vent, la mer, le sel, l'humidité. Le gamin s'était juré, quand il aurait vingt ans, de revenir lui foutre une correction. Le mousse est devenu matelot, puis patron à son tour. Un jour, il est revenu à Groix voir le vieux pêcheur. Il lui a dit : « Vous avez été dur avec moi. — Oui, mais j'ai fait de toi un homme et un bon patron. » L'ancien mousse est reparti. Il était venu le remercier, parce que le seul moment où il avait été heureux dans sa vie, c'était pendant cette campagne de pêche. Il s'est pendu le lendemain. L'ancien patron a mis dans son portefeuille un bout de la corde du pendu, par respect. Son fils a gardé le portefeuille, la corde y est toujours.

— C'est triste !

— Ils avaient noué un lien. Je n'ai jamais donné de coups de sabot à Gurvan, je me suis contenté de l'assommer mentalement avec mes livres, de dénigrer son amour du sport, ses choix, sa réussite. Mon fils ne s'est pas pendu, il ne m'a pas laissé de corde en souvenir. Il ne m'a pas non plus remercié. C'est moi qui viens tous les ans à la pointe des Chats le remercier pour les années passées à ses côtés. Elles ne tiennent pas dans mon portefeuille.

» Merci pour ta compagnie, Chiara. Si ton père est encore sur l'île, je le trouverai.

Paris, trois ans plus tôt

Tu t'appelles Louis. Tu iras peut-être un jour en Italie ou en Bretagne, tu as toute la vie devant toi.

Tu entres dans le service de réanimation, tu marches vers ton placard, tu te changes. Tu aimes l'atmosphère des gardes de nuit, tu t'entends bien avec l'équipe, l'interne et les infirmières t'apprécient, les patients te font confiance, tu prends ton temps, tes gestes ne sont jamais brutaux. « Louis sera un médecin humain et compatissant », dit souvent Mona, l'infirmière blonde qui a une tache de vin sur la joue. Quand un patient quitte la réa sur ses deux jambes, tu planes. Quand il la quitte les pieds devant, tu plonges.

— Salut, tout le monde ! lances-tu en entrant dans le box des infirmières.

Il n'y a personne, ça n'arrive jamais. Où sont-ils tous passés ? Tu fronces les sourcils. Même si l'état d'un patient s'aggrave, il y a toujours quelqu'un pour surveiller les écrans et les alarmes.

— Ohé ? Vous êtes où ?

— On a besoin de toi ici, Louis, vite ! crie Mona depuis le fond du couloir.

Tu cours sur tes Nike vertes, en récapitulant les gestes à effectuer en cas d'arrêt cardiaque, le chariot de réa est sûrement sur place. Tu pousses la porte. Le lit est vide. Les alarmes sont coupées, le scope éteint, le ventilateur artificiel ne fait respirer personne. L'équipe de garde, hilare, hurle :

— Surpriiiiiiiiiiise !

Tu t'arrêtes net. Tu résistes à la tentation de jeter un coup d'œil par-dessus ton épaule pour voir si la fête n'est pas destinée à un autre. Alors leurs rires s'éteignent, leurs yeux pétillent moins, un malaise s'installe. Florian, le moustachu grâce auquel tu travailles ici quatre nuits par semaine, s'avance.

— Tu en fais, une gueule ! On s'est trompés de jour ?

Tu hésites. On fête quoi ? Plus personne ne sourit, tu as gâché la surprise. Pour un peu, ils t'en voudraient.

— Je ne m'y attendais pas, bredouilles-tu pour te donner le temps de la réflexion.

— On voit ça, commente ta collègue Christine la Bretonne, fan de Tintin, à qui tu as offert récemment une montre avec un cadran Milou.

Sur une table qui a été poussée contre le mur, tu aperçois une bouteille de vin blanc, une bouteille de liqueur de cassis, quelques verres et un paquet cadeau.

— C'est ton anniversaire, mon vieux, lance Florian en te donnant une bourrade amicale. Tu as vingt-trois ans aujourd'hui ! L'an dernier, tu n'étais pas de garde ce jour-là. Cette fois, on t'a chopé.

— Tu es allergique aux fêtes ? s'étonne Mona.

— Tu n'as rien contre boire un kir ? dit la nouvelle externe, surnommée Çoise, avec un joli accent belge.

Vous êtes de garde, mais un verre n'empêche pas d'être affûté et efficace. Tu balbuties :

— J'avais… oublié.

Piètre explication. Surprenant déni. On n'oublie pas son anniversaire.

— Je bois à l'Alzheimer qui te fait zapper cette date mémorable ! clame Florian pour détendre l'atmosphère.

Tu improvises :

— On ne fête pas les anniversaires dans ma famille. Merci d'avoir pensé à moi. Il y a quoi, dans le paquet ?

— Ça s'appelle un cadeau, ironise le beau Serfaty, l'interne longiligne. Normalement, on dénoue le ruban, on déchire le papier, on ouvre et on dit que c'est génial, même si on déteste. Tu es quoi, un extraterrestre ? On fête quoi, sur ta planète ? Le jour où tu t'es enfui en fauchant la soucoupe volante de ton père ?

Tu embrayes :

— *Damned.* Je suis cuit. Vous m'avez démasqué !

On ne naît pas, dans mon monde, on sort tous de la même matrice artificielle et on meurt à la même date de péremption. Pas besoin d'hôpitaux ni de réa, on a un temps de fonctionnement prédéterminé.

— C'est quoi, ton vrai nom ?

— J'ai un numéro de série.

— Tu es un drôle de zigoto, conclut Mona en levant son verre.

Les autres l'imitent. La gêne a disparu.

— Ouvre ton cadeau !

Tu déchires le papier et tu découvres *Alors voilà*, le livre d'un confrère médecin, Baptiste Beaulieu.

— Je l'ai adoré, dit Mona. Si tu l'as déjà, ne le change pas, offre-le !

Tu t'inclines cérémonieusement devant elle, tu lui tends la main droite.

— Vous m'accordez cette valse ?

Tu l'entraînes et tu tournoies avec elle dans la chambre exiguë. Les autres applaudissent. Ils ont presque oublié ce qui vient de se passer.

Toi, tu n'as pas oublié. Tu as senti le vent du boulet. Désormais, tu feras attention.

Île de Groix, au Triskell

En faisant la queue pour prendre son journal à la Maison de la Presse, Perig a parlé de l'Italie, mais ça n'a rien donné. Il a ensuite interrogé Jo Le Port, Guy Tonnerre, Joseph Gallo, Gilbert Nexer. Il a feuilleté des albums de photos. Partout il a cité l'île d'Elbe, à la boucherie, à la poissonnerie, à la poste, chez Le Menach, à la cave du Cinquante, et aussi sous la halle du marché. Il a traîné sur le port au départ et à l'arrivée des bateaux, en parlant de la Toscane.

Puis il a ciblé les bistrots stratégiques de l'île, en commençant par ceux du port et en continuant par ceux du bourg.

Il chaloupe maintenant vers la petite place derrière la mairie, là où le distributeur automatique de la banque est pris d'assaut par les touristes en été. Il rentre pesamment au Triskell. Aziliz l'attend à la maison, mais il est en mission. Il n'y a pas d'heure pour les braves.

— Un spritz, s'il te plaît.

Cathy, derrière le bar, en laisse tomber une tasse, qu'elle ramasse. Depuis qu'elle connaît Perig, c'est la première fois qu'il veut autre chose qu'un petit blanc ou un café.

— Tu plaisantes ?

— Non. On m'a commandé un article sur cet apéro à la mode chez les bobos parisiens. Je dois le tester. Tu n'en as pas ?

— J'en aurai pour toi si tu en bois souvent.

— Tu es certain que ça va, *co* ? s'inquiète un copain en s'approchant de Perig. Ma *meumée*, elle s'est mise à dire des trucs bizarres, on ne s'est pas méfiés, elle avait un début d'ATC.

— AVC, corrige Perig. Je suis en pleine forme, bon pour le service.

— Le vin blanc n'est plus assez bon pour toi, *nom de toui* ?

— Môssieur préfère l'asti spumante, fanfaronne un autre copain, fier d'étaler sa science.

— Tu n'y connais rien. Le spritz est fait avec du prosecco, pas avec de l'asti. J'ai du goût pour les vins italiens.

— Et les Italiennes, lance le premier copain. On t'a vu à la plage avec la nouvelle postière.

— Elle remplace seulement, précise le second. Pendant l'absence de Corysande.

— Le curieux qui m'a vu a précisé que j'étais aux Chats avec Gurvan ? rugit Perig.

Le silence se fait. On ne plaisante pas avec les disparus en mer, c'est sacré.

— J'ai du goût pour l'Italie et pour ma femme, poursuit Perig. Aziliz est plus belle que toutes les vôtres réunies ! Quand je prendrai ma retraite, je l'emmènerai en Toscane, à l'île d'Elbe. Quelqu'un y est allé ?

— Napoléon, mais c'était pas la joie ! persifle le premier copain.

— Tu te trompes, corrige le second. Il n'a pas été prisonnier, il a choisi de s'y exiler. Pas bête, il a régné sur l'île pendant presque un an, il était leur empereur, il se la coulait douce !

— Tu parles, il y est mort.

— Pas sur l'île d'Elbe, à Sainte-Hélène !

Un troisième buveur, assis au comptoir, tend l'oreille et intervient :

— Mes cousins ont travaillé là-bas comme marins, quand ils étaient jeunots.

— *Yec'hed mad*, à la tienne ! s'exclame Perig en levant son verre. Quels cousins ?

— Brendan et Kilian Tonnerre.

Île de Groix, Port-Lay

Je me réveille en sursaut dans ma chambre, au milieu de l'après-midi. J'ai sombré au retour de ma seconde tournée, comme hier. Devant la porte, j'aperçois une ombre, appuyée contre le chambranle.

— Qu'est-ce qui se passe ? dis-je, tentant de me raccrocher à un rêve heureux qui s'effiloche déjà.

— « Quand Pierre rentrera, il faut que je lui dise, que le toit de la remise, a fui, il faut qu'il rentre du bois, car il commence à faire froid, ici ! »

Oanelle imite une voix de femme basse et sensuelle. Je comprends qu'elle me transmet un message. Pierre. Elle a dit Pierre. *Pietro*. Perig ?

Je déboule dans le salon, les cheveux ébouriffés, en tirant sur mon pull.

— Il y a du nouveau ?

— Oui, dit Perig. Tu es seule ?

Rozenn est à la poste, Dider au jardin. La voie est libre. Mon cœur bondit dans ma poitrine. Je tremble, ce n'est pourtant pas le moment de flancher.

— Je les ai identifiés, ajoute-t-il.

« Les » ? Pourquoi ce pluriel ? J'ai déjà deux pères possibles, je n'ai pas besoin de plus.

— Deux frères Tonnerre ont été marins pendant six mois à l'île d'Elbe.

Je m'assieds, mes genoux ploient et mes jambes flageolent. Je repense à ce que m'a raconté Viola après l'esclandre. « Des » Français avaient aidé sa cousine à changer son pneu.

— Les hommes ont toujours bu, où qu'ils soient, d'où qu'ils viennent, pour se réchauffer, s'endurcir, se donner du courage ou parler d'amour. J'ai enquêté dans les bistrots. Je suis tombé sur leur cousin, au Triskell.

Je fronce les sourcils, l'esprit en déroute.

— L'un des frères a voulu recontacter une Italienne qu'il avait rencontrée là-bas. Il lui a écrit après son retour, mais elle n'a jamais répondu. Le cousin ne se souvient plus lequel c'était.

— Vous savez leurs noms ? fais-je, haletante.

— Brendan et Kilian Tonnerre.

Mon père est peut-être d'ici. D'un côté, je me sens adoubée, acceptée, protégée. De l'autre, je panique, parce que mes recherches se concrétisent. Ça devient réel et vertigineux. Jusqu'à cette minute, je me perdais en conjectures. Désormais, tout est possible.

— Vous les connaissez ?

— Tout le monde se connaît, à Groix. Ils sont allés à l'école avec Gurvan.

Brendan Tonnerre. Kilian Tonnerre. Je roule les deux noms sur ma langue. Je ne m'appelle peut-être pas Chiara Ferrari, mais Chiara Tonnerre. Je me la joue façon James Bond : *my name is Tonnerre, Chiara Tonnerre. Mi chiamo Chiara Tonnerre, mio padre è francese.*

— Ils sont sur l'île ? Je les ai croisés ?

— On se croise tous à un moment ou à un autre, sur le caillou. L'un vit au bourg. L'autre vient en vacances à Locmaria, il fait des travaux chez lui, en ce moment, donc il est là. Ils sont fâchés pour une histoire d'héritage, une aire à battre en indivision et un terrain avec un droit de passage, les histoires habituelles. Ils ne se parlent plus, même à la Toussaint, quand ils fleurissent la tombe de leurs parents.

— Vous m'emmenez les voir ?

— Non.

— J'espérais que vous m'accompagneriez. Je ne peux pas débarquer en leur annonçant que je suis peut-être leur fille.

— Tu dois jouer cette carte seule.

Comment les aborder ? Je ne me suis même pas posé la question. L'essentiel était de retrouver mon père, je pensais que le reste suivrait facilement.

— Pouvez-vous au moins m'en dire plus sur eux ?

— Kilian, l'aîné, était marin. Il s'est cassé la jambe en campagne de pêche, parce qu'ils étaient en mer avec les filets dehors, et ils ont perdu trop de temps à revenir avant qu'il puisse être opéré. Depuis, il a une pension d'invalidité, il traîne la patte, flanqué de son chien, et il marmonne dans sa barbe. Il vit en ermite, personne n'entre chez lui, pas même l'infirmière. Ses vitres sont si sales qu'on ne voit pas à travers.

J'ai une chance sur trois d'être la fille d'un misanthrope éclopé qui, au moins, aime les animaux. Rien à voir avec le parfait jeune marié au sourire hollywoodien dans son cadre en argent à Rome. Je cherchais un père vivant, protecteur, rassurant, aimant. Riche ou pauvre, je m'en fichais, mais pas un sauvage !

— L'autre est pire ? dis-je, cynique.

— Brendan est un cadre supérieur de la société qui vient de doubler les tarifs du bateau chargé de la desserte entre l'île et le continent. Il s'en moque, lui, il prend un bateau taxi privé. Les insulaires qui ont trouvé du travail et se sont exilés sur la grande terre ne peuvent plus rendre visite aussi souvent aux anciens qui vivent sur l'île, car la traversée est plus chère. Les petits-enfants viennent moins souvent aux vacances, les commerçants répercutent le prix des livraisons, les touristes dépensent moins…

— Brendan n'a pas défendu les intérêts de Groix ?

Perig grimace.

— Il se terre dans son affreuse baraque où tout est automatique, les volets, le garage, l'alarme, la chaudière, l'arrosage, l'aspirateur, la tondeuse. Il gère tout depuis son téléphone. Ce crétin a oublié qu'on est sur une île. Le Wi-Fi passe quand il veut, l'humidité s'infiltre, les systèmes se détraquent, l'alarme se déclenche. Chaque fois qu'il vient, il appelle l'électricien et tout le monde rigole. Il a divorcé, personne ne regrette sa femme, c'est elle qui l'a poussé à démolir la maison de ses parents pour construire cette horreur moderne sans âme.

— Les deux frères ont des enfants ?

— Kilian n'a que son chien. Brendan ne vient plus avec son fils depuis le divorce. Il débarque maintenant à Groix avec une jeunette blonde en corsage transparent, short moulant et cuissardes Jim Chau, aux talons aiguilles improbables. Aziliz m'a montré les mêmes dans un magazine.

Je le corrige machinalement.

— Jimmy Choo.

— Jiminy Cricket ou Davy Crockett, c'est une gamine. Aux États-Unis, on lui demanderait sa carte d'identité pour acheter de l'alcool. Elle se croit à Saint-Tropez ! Quand ils sont arrivés il y a quelques jours, le marin du bateau taxi lui a prêté sa veste. Il paraît qu'elle est si époustouflante qu'il avait du mal à piloter.

Il rit, devient léger dès qu'il ne parle pas de Gurvan.

— Pour l'enterrement de leur mère, Kilian et Brendan ont été obligés de se côtoyer à l'église du bourg. Brendan était à gauche de la travée centrale, Kilian à droite. Son chien, qu'il avait laissé dehors, a hurlé pendant toute la messe. Les Groisillons se sont tous installés derrière Kilian, personne ne voulait être du côté du traître. Tous sauf Mylane, une amie qui s'assied toujours à gauche sur le banc de sa famille, pas question qu'elle déroge à ses habitudes à cause d'un lâcheur. Le recteur a fait un sermon sur la réconciliation. Kilian est sorti par la grande porte devant la mairie. Brendan s'est défilé par le côté sans remercier ceux qui s'étaient déplacés.

— Ils sont parents avec Dider et Urielle ? Guy et Erwan ? Le mari de Marielle ?

— Non, ils viennent d'une branche annexe qui avait des attaches en Irlande.

— Vous croyez qu'ils feraient de bons pères ?

— Ils ne sont pas pires que moi.

Je maudis Viola. Je me débrouillais bien, moi, avec mon mort. Il approuvait mes choix, entourait mon enfance d'un halo nostalgique et plutôt romantique, il était d'accord avec moi, on ne se disputait jamais, on était fiers l'un de l'autre. J'ai besoin de me confier à quelqu'un de mon âge. Tu es trop loin, Alessio. Urielle est à Paris. Oanelle est dans son monde. Je n'ai qu'une personne sur qui me rabattre.

Île de Groix, Port-Mélite

Je retrouve Gabin dans le jardin du capitaine où, accoudé à la barrière bleue, il fait une pause devant l'océan.

— Ça va, miss détective ?

— Ça se complique, dis-je. J'ai deux pères pour le prix d'un.

— Quoi ?

— J'en suis à trois pères potentiels. L'Italien et deux frères groisillons.

— Tu m'en prêtes un ? On ne sait jamais, j'en aurai peut-être l'usage un jour.

— Ton écriture avance ?

— Un seul chapitre, ce matin. Je rencontre les lecteurs de L'Écume, ce soir. Tu veux venir ?

— Je bosse tôt demain. Et je ne sais plus où j'en suis, avec ces deux frères.

— Tu connaissais les risques. Tu as ouvert la boîte de Pandore. Tu peux encore arrêter les frais, te contenter de ton père officiel, comme je me contente de mon père inconnu.

— Tu peux t'inventer celui que tu veux dans tes romans.

— On a tous le choix d'inventer nos vies. Réfléchis, Chiara.

Il pose sa main chaude sur mon bras, je frémis. Mon cœur bat la chamade, mon corps s'imagine que je pique un sprint alors que je ne fais que discuter, appuyée contre une barrière bleue, avec un Corse qui croit qu'on se ressemble et que l'île nous a jeté un sort.

— Tu n'as plus qu'une seule solution.

— Laquelle ?

— Entrer chez eux sous un prétexte fallacieux pendant ta tournée, et leur voler de quoi effectuer des tests ADN.

Je le dévisage, stupéfaite. Je projetais de faire ce test avec l'accord de l'homme que Perig trouverait, pas derrière son dos.

— Tu n'as pas besoin de leur aval, insiste Gabin. Sauf si tu veux leur argent ?

— Bien sûr que non !

— Alors donne-toi les moyens de savoir.

— Gabin, votre pause est finie ? demande le capitaine par la fenêtre.

Je prends congé, ébranlée par l'étrange conseil de l'écrivain.

Je rentre en passant devant la maison où vit Kilian Tonnerre. Perig n'a pas exagéré, les carreaux sont opaques de saleté. Je m'arrête chez Quentin, le nouveau boucher, pour acheter du pâté gangster pour Rozenn. Deux Groisillonnes âgées bavardent gaiement.

— Hier soir, mon mari était *chichté*, il est tombé dans le *nant* !

— Moi j'ai mal à mon *tchu* ce matin, j'ai ramassé une *pièce de chtokate* en glissant à cause des pantoufles.

— Donne-moi une *t'chulotte* de lard !

— T'es riche, aujourd'hui, *co*, t'as plein de sous dans le *boursouaille* !

Je comprends la moitié de ce qu'elles disent.

— Vous êtes la filleule de Rozenn, me dit la première, sûre de son fait.

J'acquiesce, tout se sait sur une île. Elles parleront de moi après mon départ, ça va *gorzailler sec.* J'ai beau n'être qu'une étrangère, je me sens mieux ici qu'à Rome, la ville où je suis née. Pourquoi ?

Île de Groix, librairie-café L'Écume

La Librairie bleue se réjouit de rester ouverte tard, ce soir. Elle fait face au manège sur la place de l'église, juste à côté de Bleu Thé. Les gens y viennent toute l'année pour lire, bavarder, boire un café ou un thé en terrasse ou sur les petites tables rondes, assister aux animations.

Une affiche sur la porte annonce la rencontre ce soir avec Gabin Aragon. Les lecteurs qui ont cherché sur Internet sont tombés sur un fond d'écran représentant des flots avec la légende : « Gabin Aragon a publié dix romans, dont plusieurs best-sellers, sous d'autres noms que le sien. Vous l'avez déjà lu et apprécié sans le savoir. Il aime les livres, les voyages, les rencontres, l'eau sous toutes ses formes : océan, mer, fleuve, lac, douche, et l'eau-de-vie de son pays, la Corse. »

Certains ont apprécié cet humour au second degré, d'autres n'ont pas compris ou l'ont jugé vaniteux. La Librairie bleue le sait parce qu'elle a entendu des clients en parler à Anne.

— Il ne peut pas dédicacer puisqu'il n'a pas le droit de dire pour quels auteurs il écrit, a expliqué la libraire. Mais vous lui poserez les questions que vous voudrez.

— Il fera peut-être une exception pour nous ? On lui promettra de garder le secret ? espère une cliente.

— Tu rêves, *co*, s'il a promis de se taire, il se taira, décrète une autre.

— Je l'ai vu avec la petite de Dider et Rozenn.

— Je l'ai vu avec Perig.

— Je l'ai vu avec la nouvelle factrice.

— C'est juste la remplaçante de Corysande, *co* !

— Il écrit pour Kerwan, il sera bien obligé de signer son nom, c'coup-là !

La Librairie bleue ne s'étonne pas de voir les inscrits arriver à la dernière minute, elle est habituée. Les gens partent de chez eux cinq minutes avant le début de la messe, du concert, du film ou de la rencontre.

La Librairie les regarde s'asseoir sur ses chaises accueillantes, elle se réjouit de voir autant de monde.

Gabin sourit à la ronde, une onde de sympathie parcourt l'assistance, on a envie de l'aimer, ce garçon, de le repeigner aussi – il est coiffé comme la tête de loup du ramoneur. Il se présente, explique qu'il vient lui aussi d'une île, que les insulaires sont plus intenses et plus mélancoliques que ceux qui vivent sur le continent.

— Les mots sont mes rames et mon esquif. Je ne saurais pas vivre sans eux, ils soignent, ils apaisent, ils hurlent leur colère, ils souffrent, ils se moquent de moi, ce sont mes compagnons de route. Ne m'en veuillez pas de parler d'eux au lieu de mentionner les titres de mes livres. Je suis gourmand d'écriture, d'émotions… et du délicieux *tchumpôt* que j'ai savouré chez Rozenn !

La Librairie bleue vibre aux rires de la salle, l'auditoire est conquis par le naturel de ce garçon.

— J'ai choisi de manger à ma faim et de vivre de ma plume. Mon ego passe après mon estomac. J'écris pour des auteurs que vous voyez sur les plateaux télé. Ils travaillent, ils ont l'idée du projet, la forme générale, le matériau brut. Ils n'ont pas le plaisir des heures que je passe à ciseler les phrases, à prendre le contrepied d'une image comme un peintre créerait une ombre portée. Nous collaborons.

— Vous gagnez autant qu'eux ? demande un touriste de passage.

— On ne va pas parler d'argent, esquive Gabin.

— Tu tires des bords, mon gars, va à l'essentiel !

— Vous le dites à vos parents, quand même ? Ils aiment vos livres ?

— Je ne connais pas mon père, dit Gabin avec naturel.

Raclement de gorges, de pieds, de chaises. Celui qui a posé la question s'excuse.

— L'essentiel, poursuit Gabin, c'est la joie chaque fois renouvelée du plongeon dans une histoire. Je ne suis jamais rassuré, jamais blasé, tout est à refaire, la magie peut cesser de fonctionner. Un romancier est comme un acteur qui enchaîne les rôles.

— Vous n'avez pas le vertige de la page blanche ?

— Mon fond d'écran est un océan bleu.

— Vous écrivez le jour ou la nuit ?

— Le jour. La nuit c'est fait pour l'amour.

— Vous ne pouvez vraiment pas nous dédicacer vos livres ? On gardera le secret, promis.

— Je n'en ai pas apporté.

La Librairie bleue cesse d'écouter le conférencier, elle se concentre pour sentir dans ses rayonnages les bruissements et les remous. Elle a reconnu Chiara, la factrice remplaçante, venue récemment lui acheter un guide de l'île. Assise à l'extrême bord de sa chaise, tendue, stressée, Chiara lance des coups d'œil vers un homme corpulent accompagné d'une jeune fille blonde aux allures de mannequin scandinave. Perig, le correspondant de presse, fan des polars bretons de Jean Failler, le lui a montré du doigt.

La Librairie sait qu'une assemblée frémit et tangue selon la façon dont le barreur prend la vague. Gabin, sincère et décontracté, parle avec passion et les gens l'écoutent.

— Ça ne gêne pas votre femme et vos enfants de ne pas voir votre nom sur vos livres ?

— Je suis le père de mes personnages, mais mon mode de vie nomade est incompatible avec une famille.

La Librairie bleue a du mal à saisir le concept de père, même si elle regorge d'histoires dont les parents sont les pivots.

— Vous mettez combien de temps pour écrire un livre ?

— Entre six mois et deux ans d'écriture non-stop.

— Pourquoi vous ne passez jamais à la télé ?

— Je suis une plume fantôme, je n'existe pas pour les lecteurs. C'est normal qu'on ne m'invite pas. La télévision propulse, la radio et la presse écrite épaulent, mais le bouche à oreille est essentiel aussi.

— Vous avez essayé de publier sous votre nom, au début ? demande un adolescent.

— J'étais trop jeune. J'ai bourlingué depuis, j'ai compris qu'il ne suffisait pas de vouloir pour être, que je devais me confronter à la vie avant de prétendre l'écrire.

— Vous pourriez laisser tomber la sécurité financière et tenter votre chance en pleine lumière ? Vous risqueriez quoi ?

La Librairie bleue plaint Gabin. Les Groisillons sont fiers et courageux, ils osent, ils foncent, ils ne se cachent pas, l'argent n'est pas la priorité, sinon, cela ferait longtemps qu'ils seraient partis sur la grande terre. Pour eux, le choix du jeune écrivain est incompréhensible.

— Écrire est un risque, dit Gabin. Vous devriez lire le discours de Patrick Modiano quand il a reçu le prix Nobel, en Suède. Il dit qu'« écrire, c'est un peu comme être au volant d'une voiture la nuit, en hiver, et rouler sur le verglas, sans aucune visibilité ».

— Comme être en mer quand la houle se lève et que la mer t'essore et devient lessiveuse, ajoute un marin.

— Comme être à Lorient et devoir prendre le bateau qui coûte trop cher, dit un Grek en défiant l'homme corpulent que Chiara regarde à la dérobée.

L'homme, pris à partie, se défend :

— On ne fait pas toujours ce qu'on veut. Il n'y a que les enfants pour croire que les grands mènent le jeu. On ménage la chèvre et le chou.

Un silence de mort suit sa tirade. La Librairie bleue frissonne.

— L'argent mène le monde, reprend l'homme. Vous vous entraidez, vous vous battez pour rester ici, vous avez choisi cette qualité de vie, ce décor unique. Moi, j'ai quitté l'île pour gagner ma vie, et je suis conscient de la perdre en m'enrichissant. Vous me croyez vendu à l'ennemi, alors qu'au contraire, je me démène pour maintenir le nombre de rotations. Je suis né ici. Vous croyez que je l'ai oublié, vous vous trompez. Le bateau est trop cher. Les horaires ont changé, il y en a moins, ils en rajoutent pour les touristes, pas pour vous qui maintenez l'île à flot. Mais je veille, dans l'ombre.

Un brouhaha emplit la librairie, sort par la fenêtre entrouverte, réveille en sursaut le thon qui dormait en haut du clocher de l'église. Brendan Tonnerre n'est pas un vendu. Brendan Tonnerre attend son heure. Brendan Tonnerre est un gardien de phare.

Certains le croient, d'autres doutent, la jeune factrice remplaçante a l'air soulagée.

— Pour répondre à votre question, enchaîne Gabin en s'adressant à l'adolescent, si j'écrivais sous mon nom, je risquerais ma peau, ma confiance, ma rage et ma réputation. Mais votre île est ensorcelante, on n'en sort pas indemne. Elle imprime sa marque. Vous n'êtes pas blasés, vous n'êtes pas écrasés. Vous me donnez envie de me battre et de vous imiter. Groix chamboule.

Le public écoute le conférencier. La Librairie bleue et la factrice remplaçante sont les seules à remarquer que Brendan Tonnerre se lève, sort avec sa compagne, retire sa veste et la pose sur les épaules dénudées de la jeune fille. Il a dit ce qu'il avait à dire, ça va *gorzailler sec* dans les cafés et dans les magasins demain. Autrefois, ça aurait alimenté les conversations aux lavoirs et aux veillées, mais les machines à laver le linge et la télévision ont modifié la donne. On lave chez soi maintenant, on ne sort plus sur le pas de sa porte passer la soirée avec ses voisins. Pourtant, le lien entre insulaires demeure, indestructible. Ils ne peuvent pas comprendre, sur la grande terre.

La soirée a été positive. La Librairie bleue aime quand les lignes bougent.

Île de Groix, tournée de Locmaria

« Demain ça va *piauler*, il y aura du *zeff*, il faudra bien te *capeler* », m'a recommandé hier Perig en me tendant une veste de quart rouge qui sent la naphtaline. « Tu enfileras le gilet de sécurité jaune de la poste par-dessus. »

La veste est trop petite pour être à lui, trop grande pour le minuscule gabarit d'Aziliz, je n'ai pas osé demander si elle a appartenu à Gurvan. J'ai accepté.

J'ai trié puis décasé ce matin une enveloppe pour Brendan Tonnerre. Elle est à l'avant de mon panier, elle dépasse des autres.

Je m'arrête quelques minutes devant le cimetière, je hisse Pégase sur sa béquille et je cherche au hasard parmi les tombes les parents de Brendan et Kilian. Celui que je considère comme mon père depuis l'enfance repose au cimetière de Verano, à Rome. Celui de Groix est un mouchoir de poche, en comparaison. Je salue chaque tombe Tonnerre avec respect et humilité, je suis peut-être de votre famille, bonjour, je serais honorée d'être votre parente. Ou affolée, tourneboulée, je ne sais plus.

Alessio, tu me conseillerais d'aller jusqu'au bout, n'est-ce pas ?

Je ratisse le cimetière en le divisant en carrés que j'examine les uns après les autres. J'ai ramassé des fleurs sauvages, que je dispose sur chaque tombe Tonnerre. Une dame âgée, un arrosoir à la main, remarque mon manège et s'approche, les sourcils en accent circonflexe.

— Je ne sais pas où est celui que je cherche, alors je fleuris plusieurs personnes.

Elle vient tous les jours rendre visite à sa fille, elle me comprend. Elle repart sans un mot, son arrosoir fuit, mais elle s'en moque.

Une voiture s'arrête sur la route, une portière claque. Perig me rejoint. Son corps s'affaisse quand il passe la porte du cimetière, même si son fils n'y est pas. Il a une démarche particulière, il se propulse, avance le torse avec énergie, et ses jambes suivent à regret.

— Comment saviez-vous que j'étais là ?

— On t'a vue entrer, on ne t'a pas vue ressortir. Tout se sait, ici. Tu ne passes pas inaperçue. Il y a peu de touristes en ce moment.

— Je ne suis pas une touriste.

— C'est vrai, tu es la filleule de Rozenn Tonnerre, excuse-moi.

— Je cherche les parents de Brendan et Kilian, dis-je d'un ton sec.

— Ne monte pas sur tes grands chevaux.

Je revois dans un flash les gros chevaux de labour à moustaches du livre de Dider sur le Groix d'autrefois.

— Leur père était fâché avec sa famille, dit Perig. Il ne voulait pas être enterré à côté d'eux. Il a exigé d'être incinéré à Lorient. Il est revenu par le bateau du soir.

— Revenu ?

— Dans son urne. Pour être dispersé là où il pêchait, la nuit, par un ami de confiance qui ne révélerait pas aux autres son coin de pêche secret. Sa femme a exigé la même chose, pour être avec lui. Ils reposent dans la flotte, ils donnent à manger aux poissons.

Je glousse nerveusement.

— Continue ta tournée, dit Perig. Tu es en mission.

J'enfourche Pégase. Je tourne avant Port-Mélite. Je vérifie les noms sur le classeur. Je lève mentalement mon verre aux buveurs du Triskell. Pégase galope le long des champs.

Quand j'aborde Locmaria, où vivaient autrefois les patrons pêcheurs et les boscos, mes mains tremblent en agrippant les poignées du guidon. Je pourrais balancer le courrier dans le lavoir ou dans une poubelle, rouler jusqu'au port, prendre le bateau et rentrer à Rome. Trahir la confiance de Rozenn, abandonner Perig à sa peine, couper les ponts avec Gabin, oublier Urielle, retrouver ma vie d'avant, pas franchement guillerette, mais pas dramatique non plus. Je m'arc-boute sur les freins qui grincent. Je regarde l'océan et les vagues qui moutonnent. Je te délaisse, Alessio, pourtant tu es mon meilleur ami.

C'était le printemps hier, c'est l'automne aujourd'hui. La veste rouge de Gurvan me tient chaud, sa puissante odeur de naphtaline nargue le crachin, le capuchon protège mon visage. Je respire à fond. Je mets mon vélo sur sa béquille devant la maison de Brendan Tonnerre. On dit qu'une factrice délivre le courrier. Les lettres prisonnières attendent d'être sauvées de quel danger, de quel prédateur ?

S'il faisait beau, Brendan serait dans son jardin, mais par ce temps il n'y a que les escargots, les chiens errants et les oiseaux qui sont dehors. J'ai échafaudé un scénario. Je vais me blesser avec sa boîte et lui demander de l'alcool pour me désinfecter. Je lève la tête au ciel pour sourire à *nonna* Ornella qui m'a couru après toute mon enfance avec du coton et de l'alcool.

Je saisis l'enveloppe, je la glisse dans la boîte, je force en m'écorchant les phalanges. Puis je frappe à la porte de la cuisine. Pas de réponse. Pourtant, la lumière est allumée. J'insiste. Un gros chien gris se jette sur la porte en aboyant, je recule, effrayée. Une silhouette apparaît. L'homme corpulent que j'ai vu à L'Écume. Il ouvre, le molosse me saute dessus, pose ses pattes sur mes épaules, approche sa gueule énorme de mon visage et me lave la figure avec sa langue.

— Shoot ! À bas ! Tout de suite !

J'aime sa voix, moins son expression. Il a un timbre d'orateur, velouté, du coffre, du charme. Un visage de quinquagénaire séducteur. Un regard marine à paillettes, dur, tranchant. Une bouche mince et peu généreuse. Un corps qui se laisse aller. Des sourcils outrés. Mon père italien a mon âge, Brendan en a le double. Il remarque mon gilet de la poste.

— Corysande est malade ?

Il se préoccupe de la santé de la factrice, un bon point pour lui.

— Je ne fais que la remplacer une semaine.

— C'est embêtant, dit-il. J'attends un courrier important. Corysande n'était déjà pas une flèche. Vous êtes encore plus lente, vous avez vu l'heure ? Vous avez ma lettre recommandée ?

Je secoue la tête, incapable de produire un son. Si c'est mon père, c'est un sale con.

— Alors vous me dérangez pour rien ? Vous voulez quoi ?

Que tu n'existes pas. Que tu ne sois pas Brendan Tonnerre. Ou que tu ne sois pas mon père.

— Je me suis blessée en mettant une lettre dans votre boîte.

Je m'attends à ce qu'il dise qu'il est désolé, qu'il aille chercher de l'alcool et un pansement. Au lieu de ça, il me contourne, ouvre sa boîte, saisit l'enveloppe, réintègre sa cuisine et referme sa porte sans un regard pour ma main écorchée.

Je reste dehors, pétrifiée, les phalanges meurtries. La pluie fait des claquettes sur la veste de Gurvan. De l'autre côté de la porte vitrée, Shoot me fixe, les yeux tristes.

Je donne son courrier à une jeune femme plus bas dans la même rue. Elle voit ma main saignante, la soigne avec gentillesse.

— Il n'est pas aimable, votre voisin, dis-je en frémissant quand l'alcool coule sur mes écorchures.

Elle acquiesce et attrape une boîte de pansements pour enfants.

— Il nous considère comme des étrangers parce qu'on est arrivés il y a trois ans pour ouvrir un commerce. Nous participons plus que lui à l'économie locale. On raconte que son fils fait du trafic de drogue. On dit qu'il est en prison. En tout cas, il ne vient plus. Et il a confié son gros chien à son père. Vous préférez un pansement footballeur ou un pansement princesse ?

— Footballeur, dis-je.

Mon demi-frère potentiel a baptisé son chien Shoot. Mais il n'est ni footballeur ni photographe. Il est dealer.

Paris, deux ans plus tôt

Tu t'appelles Louis, tu prends régulièrement des gardes dans cette réa depuis deux ans. Tu te changes, tu poses ton paquet de fraises Tagada devant Elsa, la nouvelle infirmière. Tu ne peux pas l'inviter chez toi, elle découvrirait la vérité. Elle habite encore chez ses parents, elle aimerait que vous vous installiez ensemble, mais c'est impossible. Tu l'emmènes passer le week-end prochain à Honfleur.

— Tu as quel âge, Louis ? lance Elsa en fronçant les sourcils devant les sucreries régressives auxquelles elle ne résiste pas.

— L'âge de voir à quel point tu es belle, rétorques-tu du tac au tac.

Tu l'étreins, tu la soulèves du sol et tu l'embrasses. Elle éclate d'un rire joyeux et ça fait tellement de bien, cet instant de pur bonheur dans ce lieu de souffrances.

— On t'attendait pour faire la transmission. On y va ?

Vous avez fait le point sur chaque cas, la garde montante est briefée, tout est calme. La nuit reprend ses droits. Tu adores cette heure hors du temps où tu entres dans chaque box, tu te présentes aux patients que les ventilateurs aident à respirer. Tu poses ta main sur leur bras, même s'ils sont inconscients, tu as besoin de ce contact. Ta jeunesse l'emporte sur leur pathologie, tu leur transmets ta force. Tu leur dis ton prénom, tu expliques : « Je vais vous aspirer, ce n'est pas agréable, je sais, mais on va faire ça doucement, ensemble, d'accord ? » Leurs corps se détendent, même ceux qui sont dans le coma comprennent que tu leur veux du bien. Ta main chaude et ta voix basse et sereine les rassurent. Sur le scope, le tracé de leur cœur se calme. Tu imagines leur existence d'avant, celui ou celle qu'ils aiment ou qu'ils ont aimé(e), tu les vois jeunes, fougueux, impatients, lumineux, comme dans les pubs pour les banques où un couple se rencontre, se marie, a des enfants, vieillit et investit. Tu grimaces en pensant qu'un jour tu seras semblable à eux, dans un lit de réa, à la merci d'un externe débutant et pataud. Tu te demandes qui, alors, viendra te voir : une femme, des enfants, des amis, ou personne ?

Tu enchaînes les gestes avec précision, c'est devenu un automatisme. Les infirmières te montrent en exemple aux nouveaux externes, tant tu t'y prends bien. Il paraît que dans le temps, on recopiait les constantes à la main sur une pancarte accrochée au bout du lit et on prenait la tension manuellement à l'oreille. Ça te paraît incroyable. Désormais, un moniteur paramétrique surveille tout : scope, saturation en oxygène, fréquence cardiaque, pression artérielle. Tu t'en félicites. Parce que, en réalité, tu n'es pas étudiant en médecine. Tu connais les gestes, mais tu ignores la théorie. Il te manque les bases, les tenants et les aboutissants. Tu le caches intelligemment. Personne ne doute de toi.

Au petit matin froid, tu aspires les patients intubés, tu les calmes, personne n'est mort cette nuit. Elsa murmure : « J'ai envie de toi », alors que tu aspires M. Dupré, un patient atteint d'emphysème. Les tissus qui entourent ses alvéoles pulmonaires ont perdu leur élasticité : elles ne peuvent plus se gonfler et se dégonfler, ce qui réduit la quantité d'oxygène dans son sang. Il n'a jamais fumé, mais il a été exposé à des vapeurs chimiques dans l'usine où il travaillait. Les ouvriers trouvaient plus viril de ne pas se protéger, ils affirmaient : « Les casques et les masques, c'est pour les chochottes. »

« J'ai… envie… de… toi ! » disent les lèvres carminées de la jeune femme. Tu ralentis ton mouvement, M. Dupré hoquette et vire au bleu, Elsa écarquille les yeux, tu rebranches vivement le respirateur. Tu te penches vers M. Dupré et tu chuchotes :

— Je suis désolé… Votre infirmière me drague et elle est canon !

M. Dupré est inconscient, mais tu jurerais qu'il a souri autour de sa sonde.

Vous revenez au box des infirmières. Elsa a envie d'arracher ta blouse, tu ne songes qu'à la déshabiller. Vous souriez à Mona qui est en instance de divorce, parce que son mari en a marre de dormir seul pendant qu'elle bosse. Du coup, il l'a remplacée.

— Elsa, tu peux échanger avec moi, samedi ? demande Mona. J'ai rendez-vous avec l'avocat.

Elsa te lance un regard furtif et secoue la tête.

— Désolée, je vais à Honfleur.

— Tu en as de la chance, dis-tu.

— J'y vais avec ma grand-mère, prétend Elsa, continuant le jeu.

Une alarme se déclenche. Tu te précipites. M. Malik est en sueur, ses électrodes se sont détachées, tu les replaces, tu t'assieds à côté de lui, tu lui parles, tu attends que tout rentre dans l'ordre. Tu as laissé ton portable dans le box des infirmières pour ne pas perturber les machines.

— Ton téléphone a sonné, Louis, annonce Elsa quand tu reviens. J'ai regardé. Tu t'es appelé toi-même.

Tu comprends tout de suite. Merde. Elle a vu ton nom s'afficher sur l'écran. Louis Lambert a téléphoné à Louis Lambert.

— Tu t'es laissé un message, poursuit Elsa en riant.

Tu inventes :

— C'est mon père.

— Vous avez le même prénom ?

— Une tradition dans la famille.

— Tu as enregistré ton père sous son nom dans ton portable ? Moi, j'écris papa et maman.

— J'étais avec les pompiers, le soir de l'attentat au Bataclan, intervient Tom, l'infirmier chauve.

Les sourires s'effacent. La peur et la douleur font irruption dans la pièce surchauffée où le soleil n'entre jamais, été comme hiver. Ici, on guérit ou on meurt, ça prend des semaines. Au Bataclan, ce n'étaient pas des patients, mais des jeunes en pleine santé venus vibrer en musique. Les notes saccadées des kalachnikov ont fauché leurs rêves.

— Je me souviens des portables qui sonnaient dans les poches des morts, avec « papa » ou « maman » sur l'écran. C'était insoutenable, ajoute Tom.

Il en parle tout le temps, il revit le 13 novembre 2015 tous les jours, il raconte ça en boucle, les écrans des téléphones avec les visages souriants des parents inquiets pour leurs enfants criblés de balles. Il est suivi par un psy, a repris le travail.

C'est un type efficace, humain, bousillé maintenant. L'équipe se serre autour de lui pour qu'il ait moins froid, mais désormais il est toujours glacé. Il a balancé son portable dans la Seine. Sa femme l'a épaulé, aidé, et puis elle n'a plus supporté la situation, elle lui a demandé qu'ils fassent un break, elle est partie avec les enfants. Et lui, il est resté avec ses cauchemars.

— Si tu as un fils, tu l'appelleras aussi Louis Lambert ? demande Mona.

— Évidemment.

— Vous avez le même nom sur vos chèques et vos feuilles d'impôts ? C'est commode, dit Elsa. Écoute son message, il y a peut-être un problème.

Tu la regardes, surpris de sa prescience. Tu devines que ce coup de fil est une catastrophe, le vrai Louis ne t'appelle jamais quand tu es de garde.

Tu sors de la pièce, tu enfiles le couloir, tu passes la porte du sas, tu émerges dans la cour obscure de l'hôpital. Une inconnue en blouse blanche fume, assise sur les marches du service d'orthopédie, sa cigarette rougeoie dans la nuit. Le ciel est une gabardine bleu foncé piquetée d'étoiles. Tu écoutes le message.

« Salut, c'est Louis. Je ne vais plus pouvoir te servir de prête-nom, mon pote. Je quitte Paris, je pars avec ma copine pour Marseille, j'ai trouvé un stage à l'hôpital de la Timone, je prends le poste dans une semaine. C'est un peu précipité, désolé. Ils te connaissent maintenant, tu as fait tes preuves. Il est temps de leur dire qui tu es. Je suis content d'avoir pu t'aider. Vas-y mon pote, tombe le masque ! Ton grand moment est arrivé ! Tu peux affronter ton père ! »

Foudroyé, tu baisses la tête. Juste au moment où tu te sentais enfin chez toi, attendu, aimé, normal.

Tu retournes à pas lents dans le box, le visage fermé. Tout le monde te regarde.

— Mauvaise nouvelle ? demande Mona.

— Pas vraiment.

Elsa se glisse à côté de toi, tendre et chaleureuse.

— Je peux t'aider ?

Tu brûles de lui dire la vérité, mais c'est impossible. Tu vas devoir disparaître, tout recommencer, une nouvelle fois. Tu n'as pas le choix.

— Louis, fais-moi confiance, insiste-t-elle gentiment.

Tu souris pour donner le change, tu prétends que c'est sans gravité, une histoire de famille, ça va s'arranger. Elle te croit.

— Vous vous ressemblez ?

— Pardon ?

— Tu ressembles à ton père ? Louis Lambert ressemble à Louis Lambert ?

Tu hoches la tête, et cette fois tu ne mens pas. Tu ressembles en effet à Louis Lambert, c'est pour cette raison que tu as jeté ton dévolu sur cet étudiant en médecine de quatrième année. Vous êtes baraqués tous les deux, bouclés, avec un visage rond. Louis a des yeux turquoise, pas toi, tu as dû mettre des lentilles de couleur. Tu as remarqué, étudié et choisi cet inconnu qui prenait un café et une tartine beurrée au bistrot du coin tous les matins à la même heure devant l'hosto. Vous avez bavardé, vous êtes devenus amis. Tu lui as dit ton vrai prénom, Charles, tu t'es prétendu étudiant en médecine une année en dessous. Tu as mis des mois à l'apprivoiser, à mettre toutes les chances de ton côté, à tisser ta toile.

Le vrai Louis Lambert ne connaît pas son père, c'est une blessure jamais refermée. Tu t'es engouffré dans cette faille. Tu as inventé une histoire aussi belle que convaincante : tu as prétendu que ton père était l'actuel chef de clinique de la réa. Que tes parents avaient divorcé tôt. Que tu n'avais pas vu ce lâcheur depuis vingt ans. Que c'est pour ça que tu voulais travailler dans son service, mais pas sous ton nom, pour voir quel genre de type c'était. Plus le mensonge est gros, plus il passe facilement. Plus il touche un point sensible, mieux ça marche. Le vrai Louis a compati et accepté de te servir de prête-nom. Il s'est dit que c'était temporaire, une bonne action, une complicité de garçons sans pères, lucrative en plus. Depuis deux ans, donc, tu bosses à sa place, et vous partagez le salaire de tes gardes. Il gagne de l'argent pour payer son loyer, tout en dormant la nuit, c'est tout bénef ! Mais il a fallu qu'il tombe raide dingue de cette Marseillaise à l'accent de soleil qui l'a hypnotisé. Et qui te fout dans la panade.

Tu ne pourras donc plus prétendre que tu t'appelles Louis Lambert. Tu grimaces, les contrariétés te donnent des brûlures d'estomac. C'est de famille, tu souffres d'une gastrite chronique. C'est moins grave que l'ulcère qui, en se perforant, a causé la mort de ta mère.

Tu avales un comprimé pour calmer le feu. Tu as mis des mois pour apprivoiser le vrai Louis au café du coin, sans parler de ceux qu'il t'a fallu pour devenir copain avec Florian, le moustachu aux lunettes bleues de la réa, afin qu'il te pistonne dans le service. Tous tes efforts sont anéantis.

Tu quittes le box des infirmières et tu commences ta tournée avec des pieds de plomb. Tu prends la main des endormis ou des fatigués, des comateux et des conscients, tu serres doucement leurs doigts comme tu n'as pas pu le faire autrefois pour ta mère.

Les années où tu as supporté la méchanceté de Patty, tu rêvais de rejoindre Alice, de chevaucher les nuages avec elle, au lieu de rester avec cette dingue qui te traitait de valise encombrante. Il n'y avait pas de plan Vigipirate à l'époque, la France n'était pas en état d'alerte. Personne n'a remarqué ce bagage humain abandonné sur le quai d'une gare sans espoir, ce petit garçon muet au regard creux, au cœur en miettes.

Tu sursautes. Plongé dans tes souvenirs, tu as serré trop fort les doigts du patient du box 6, M. Bulle, un garçon de ton âge, routard, qui a chopé une saloperie en parcourant le globe. Il est en réa depuis une semaine, il ne fumait pas que la moquette. Sa mère vient le voir chaque soir en sortant du travail, elle lui parle, lui fait écouter sa musique préférée avec un casque, lui lit les mails de sa petite amie australienne.

M. Bulle a les yeux ouverts et affolés, il a repris conscience, il n'arrive pas à respirer. Le tube dans sa trachée le fait tousser sur sa sonde et voilà qu'il panique. Il lutte contre le ventilateur artificiel, tend la main vers la sonde. Le ballonnet de la sonde est gonflé pour rester en place. S'il l'arrache, il va se flinguer les cordes vocales. Tu lui saisis la main pour l'en empêcher, tu dis : « Tout va bien, monsieur Bulle, vous êtes à l'hôpital, calmez-vous, la machine vous aide à respirer. » Le patient ignore où il est. Il voyageait en Birmanie quand sa petite amie a appelé Europ Assistance pour prévenir qu'il délirait et ne la reconnaissait plus.

— Vous êtes à Paris, monsieur Bulle, votre mère viendra tout à l'heure, votre petite amie vous envoie des vidéos de Sydney. Vous avez attrapé un microbe, mais on vous soigne et vous allez guérir.

Le patient ne t'écoute pas, il essaie d'échapper à l'étau de tes mains sur son poignet. Tu prends ta décision en une seconde. Tu n'es pas censé retirer le tube sans l'accord de toute l'équipe, sans vérifier la capacité pulmonaire du patient ou la mesure d'oxygène et de gaz carbonique dans son sang. Si tu l'« extubes » et qu'il replonge, il faudra le ventiler au masque puis le réintuber, avec tous les risques qu'implique ce geste. Tu crois entendre la voix de Mona qui te murmure : « La médecine, souvent, est affaire d'expérience, de flair. Tout ne s'apprend pas dans les livres, il faut parfois suivre son instinct plutôt que les règles. » Le box est au bout du service. Si tu appelles à l'aide, on ne t'entendra pas. Si tu lâches le patient, il va arracher sa sonde. Si tu l'attaches, il va se contorsionner et se blesser. Alors tu attrapes une seringue et tu la relies à la sonde pour dégonfler en urgence le ballonnet.

— Toussez, monsieur Bulle, je vais enlever le tube qui vous gêne, toussez !

Le patient obéit, le regard fou, et tu en profites pour retirer doucement la sonde de sa gorge. M. Bulle se redresse, c'est un réveil en fanfare, une sortie de coma tonique. Tu souris en l'encourageant. Il reprend sa respiration, puis demande d'une voix basse et rauque :

— Pa… ris ? Pas… Ran… goon ? J'ai raté… mon… rencard… avec Aung San… Suu Kyi ?

Tu souris.

— Je ne sais pas, monsieur. Mais je sais que vous êtes vivant !

Après t'avoir passé un sacré savon – un externe

ne prend pas la responsabilité d'extuber un patient ! –, le réanimateur de garde t'a félicité pour ta rapidité de décision. Dans ce cas particulier, c'était adapté.

Il t'a chargé de prévenir Mme Bulle, la maman du jeune homme qui est maintenant assis sur son lit, désarçonné, débordant de questions. Un pan de sa vie a disparu, un trou noir l'a aspiré hors du temps. Tu lui prêtes ton portable pour qu'il puisse envoyer un mail à sa petite amie, elle lui répond qu'elle l'aime avec un selfie où ses mains dessinent un cœur. Tu es persuadé que si tu n'avais pas touché M. Bulle, il serait resté pour toujours entre deux eaux.

C'est ta dernière garde. Tu ne reverras plus Elsa. Tu brûles de tout lui avouer, mais tu repousses l'idée. Elle aime ce qu'elle croit que tu es, un étudiant de quatrième année. Pas un menteur qui a échoué deux fois au concours, qui vit dans une chambre de bonne, qui ne fait pas partie du personnel médical. Tout à l'heure, quand l'équipe de jour arrivera, tu feras la transmission, tu respireras une dernière fois l'odeur si particulière de la réa, tu iras saluer M. Bulle et ses voisins endormis. Tu boiras un dernier café avec les infirmières et Elsa, que tu n'emmèneras pas à Honfleur. Tu les préviendras tous demain que tu déménages à Marseille, que tu prends un poste à l'hôpital de la Timone. Ils t'oublieront vite. Louis Lambert disparaîtra de leur univers. Dans ces services, on se souvient plus longtemps des patients que des soignants.

Tout a été si facile. Enquêter, convaincre Louis Lambert de te prêter son nom, jouer au billard américain avec Florian, gagner sa confiance. Les gens ne se méfient pas assez. On t'a demandé ton nom et ton adresse, tu as répondu Louis Lambert, on a noté ton numéro de Sécu et tes stages d'externe précédents, l'administration a bien fait son boulot. Mais personne n'a vérifié si *toi*, tu étais effectivement Louis.

Tu vas être obligé de t'inventer une autre vie. Personne ne t'appelle plus Charles depuis des années, tu ne le supporterais pas. Tu as encore dans l'oreille la voix de ta mère quand elle prononçait ton prénom, ça devenait de la musique. Tu refuses aux autres ce privilège. Tu avais repeint sa chambre en bleu et orange pour lui faire la surprise le jour où elle sortirait de réanimation. Elle ne l'a jamais vu, jamais su. Quand le marchand de sommeil a récupéré votre maison, il a gueulé en voyant les couleurs : « C'est quoi ce délire ? » Si tu avais été plus âgé, si tu avais serré les doigts d'Alice comme ceux de M. Bulle, tu l'aurais sauvée, arrachée aux griffes de la mort, vous auriez dansé le long de la Seine tous les trois sur vos pieds bariolés.

Encore une fois, tu vas te transformer en

quelqu'un d'autre, changer la couleur de tes yeux, repeindre ta vie dans une autre teinte. Pourquoi te contenter de n'être qu'une seule personne quand tu peux te réinventer chaque matin ?

Île de Groix, tournée de Locmaria

Cette fois, c'est la bonne. Si ce type mal embouché est mon père, je préfère le savoir. J'ai besoin de preuves. Je vais lui forcer la main.

Je file sur la route entre le bourg et Locmaria, un petit lapin traverse au dernier moment, je manque de me viander, comme dit Corysande. Je fais un écart, Pégase se cabre, puis continue à galoper. Mes mollets durcissent, mes épaules s'engourdissent. J'arrive devant la maison de Brendan et de Shoot. Je ne lui laisserai pas le choix. Qu'importe si ma première irruption dans la maison de mon père potentiel n'est pas romantique.

La cuisine est éclairée. Je frappe. Shoot se jette contre la porte. Brendan arrive, les sourcils froncés, toujours aussi peu aimable. Il retient le chien par son collier, ne me dit pas bonjour, tend la main vers le recommandé qu'il espère. *Nonna* Ornella disait : « Il y a des gens qui ont été élevés, et d'autres qui ont seulement été nourris. » Brendan a été nourri, trop à l'évidence, ça se voit à son tour de taille. Il attend que je lui donne sa lettre. J'y vais bille en tête :

— Je peux utiliser votre salle de bains, s'il vous plaît ? J'habite à Port-Lay, c'est trop loin.

Son regard se glace, il veut dire non, mais il n'ose pas. Il est tributaire de la poste, il n'a pas intérêt à se mettre à dos la factrice remplaçante. Il recule à contrecœur, tenant toujours Shoot.

— Il y a des toilettes au rez-de-chaussée, grogne-t-il.

La porte du fond s'ouvre. La splendide blonde entre. Mon « une chance sur trois » père se tape une gamine.

— Je préférerais la salle de bains, dis-je, comptant sur la solidarité féminine.

La blonde s'efface pour me laisser passer.

— C'est au premier étage à gauche.

Je file sans demander mon reste, traverse un salon dont le mobilier est froid et futuriste, je monte à l'étage et m'enferme dans la salle de bains. Catastrophe. La jeune femme a des cheveux blonds courts. Brendan a des cheveux blonds clairsemés. Quel peigne appartient à qui ? Même hésitation pour les brosses à dents : laquelle est la sienne ? Dans le doute, je ferme la porte à clef, je sors les petits sachets plastifiés que j'ai emportés, j'enfile mes gants, je prélève des cheveux sur chaque peigne, j'étiquette avec soin les sachets « cheveux 1 »,

« cheveux 2 ». Pareil pour les brosses à dents dont je coupe des poils, « brosse 1 », « brosse 2 ». J'ouvre la petite poubelle, je vole deux cotons-tiges maculés de cire jaune. Beurk. Un chewing-gum mâché qui a plus de chances d'avoir été ruminé par la blonde, mais dans le doute, je l'embarque aussi. Des lames de rasoir anonymes. Puis j'actionne la chasse d'eau, j'enfouis les sachets dans la veste aux larges poches de Gurvan et je redescends, sourire aux lèvres.

Je remercie poliment, comme me l'a appris ma maman.

— Excusez-moi de vous avoir dérangé. Je suis italienne, je viens de Toscane. Vous connaissez l'île d'Elbe ?

J'espère une seconde que Perig s'est trompé, qu'un autre père sympa et chaleureux m'attend ailleurs à Groix. Mais le mal embouché tressaille.

— Je connais, grogne-t-il.

Il se retourne et place une capsule de café dans la machine, comme si j'étais déjà partie. Le message est clair.

— Je suis heureuse de vous avoir rencontré, dis-je.

Et je repars sur les routes avec les indices que j'ai dérobés.

Île de Groix, au bourg

Kilian se promène avec son chien, la voie est libre. Les Groisillons ferment rarement leurs portes à clef, ils ont confiance. Quel cambrioleur prendrait le risque d'embarquer sur le bateau avec des objets dérobés dans une île où tout le monde se connaît ? Les touristes s'enferment à double tour, verrouillent leurs voitures. Urielle prétend que certains Parisiens cadenassent même leurs cœurs.

Deux vieux Groisillons bavardent devant la maison de Kilian. « J'ai ramassé une *corvate* de rire, *co* ! — C'est une *figure de ouère*, çui-ci ! » De quoi parlent-ils ? J'adosse Pégase au mur de la maison, toque ostensiblement à la porte. Les deux îliens s'interrompent.

— Vous ne le trouverez pas, à c't'heure.

Je prends un air embêté.

— J'ai du courrier important pour lui.

Ma tournée ne comprend pas le bourg, mais ils l'ignorent.

— Il ne ferme pas, comme son père et le père

de son père. Au temps où il était en mer, la maison restait ouverte des mois. Pas comme le *gourzout*, là en bas, qui se barricade même quand il est dans sa cuisine. *Çui-ci* croit quoi, qu'on va lui voler son rouleau à pâtisserie ?

Ils s'esclaffent.

— Vous pouvez entrer et déposer votre lettre.

— Vous êtes sûrs ?

— *Gast !*

Je tourne la poignée. J'entre. Je ne suis pas déçue. La cuisine crasseuse empeste la cigarette. Le ménage n'a pas été fait depuis l'exil de Napoléon sur l'île d'Elbe. Les meubles sont gris de poussière, l'assiette et les couverts sur la table sont momifiés de saleté. Un cendrier déborde de mégots puants. J'ai envie de vomir et de prendre mes jambes à mon cou. Mais je suis en mission.

Je pose la lettre sur la table, la poussière virevolte sur mon passage. Je retiens ma respiration. Dehors, la conversation a repris. Sur le qui-vive, j'entrouvre une porte, je tombe sur des toilettes étonnamment propres. Une autre, c'est une chambre à coucher réduite au strict minimum, un lit, une table de nuit, une chaise. Pas de plafonnier ni de lampe de chevet. Kilian ne lit pas avant de s'endormir, d'ailleurs je ne vois aucun livre. Mais là aussi, c'est anormalement propre. La troisième porte me propulse dans une autre dimension. J'entre dans un atelier lumineux dont la verrière donne sur un jardin clos. Personne de l'extérieur n'imagine l'existence de cette pièce. Le parquet clair est poncé et verni, un matériel d'aquarelliste est posé sur la longue table à tréteaux qui fait office de plan de travail : pinceaux, godets de peinture, carnets, palettes, boîtes de métal, blocs de papier, grandes feuilles, avec un fouillis de récipients pour l'eau, de palettes marguerites aux pétales parsemés de couleurs, de morceaux de Plexi blanc mouchetés de pigments. *Nonna* Ornella peignait à l'aquarelle, elle aussi. Je la regardais, admirative, je n'ai aucun talent pour le dessin. Je lui tendais ses tubes, jaune de cadmium, rouge de cadmium et rouge carmin, bleu cobalt et bleu outremer, ocre jaune, terre de sienne brûlée et terre d'ombre brûlée.

Je tourne les pages d'un carnet avec précaution. Kilian Tonnerre est doué. Il a croqué le port dans tous ses états. Les plaisanciers hissent leurs voiles, les pêcheurs relèvent leurs filets, les passagers embarquent sur le bateau, Urielle et ses korrigans se hâtent vers la passerelle.

Un autre carnet me transporte à la pointe des Chats. Au pied du phare coiffé de son bonnet rouge, Perig regarde le large en me parlant. Les dessins de l'ancien pêcheur drossé à terre par son genou brinquebalant restituent l'île dans ses moindres recoins.

Kilian ne peut plus embarquer, son pinceau navigue à sa place. Les Groisillons ne le voient jamais peindre, mais lui observe tout, avant de se réfugier dans son atelier. Ce n'est pas un marginal, c'est un taiseux, un solitaire. La mise en scène géniale de la cuisine insalubre préserve sa tranquillité. Il y a une plaque chauffante dans son atelier, un frigo, une poêle, une casserole, de la vaisselle et un grand panier pour son chien, près d'une écuelle et d'un bol d'eau. Si je suis sa fille, je n'ai pas hérité de son talent.

Le temps presse. Je quitte la pièce à regret. La dernière porte débouche sur une salle d'eau où j'aperçois mon graal : un lavabo blanc et net, une brosse à dents aux poils aplatis, une brosse à cheveux, un rasoir, une poubelle.

Terrifiée à l'idée que Kilian rentre plus tôt chez lui, je sors mes sacs en plastique, j'enfile mes gants et subtilise des cheveux accrochés sur la brosse. Je prends aussi du fil dentaire utilisé, des cure-dents, des rognures d'ongles. Et des mouchoirs en papier salis par un rhume. C'est dégoûtant.

J'enfouis les sacs étiquetés dans mes poches, prélève trois mégots de cigarette dans la cuisine et tends la main vers la poignée de la porte. Juste au moment où, comme dans un film d'horreur, elle s'ouvre en grinçant. Je me crispe du bout des orteils au sommet de mon crâne. Me voilà prise au piège.

Kilian, qui ne ressemble pas à son frère, est ébahi de me découvrir dans sa cuisine. Sa barbe blonde descend sur son ciré jaune. Son nez ressemble à une pomme de terre. Il rugit :

— Qu'est-ce que vous faites là, *nom de toui* ?

Coite, blême, je désigne mon gilet de sécurité jaune de la poste et la lettre sur sa table.

— Vos voisins dehors m'ont dit que je pouvais entrer déposer votre courrier.

— Il n'y a personne dans la rue. Où est Marielle ?

— Je remplace Corysande. Je suis la filleule de Rozenn Tonnerre.

Il se calme, le nom est un sésame.

— Mes voisins se sont moqués de vous. J'interdis qu'on pénètre chez moi !

— Je suis désolée… J'ignorais…

Il s'écarte. Son chien entre, flaire ma présence et gronde en retroussant les babines.

— Paix, Aristote !

Le chien se calme à la seconde.

— D'où vient votre accent ? maugrée Kilian.

— Je suis italienne, dis-je. De l'île d'Elbe. Vous connaissez ?

Son visage se fige.

— Je connais. Sortez de ma maison.

— Pourquoi vous avez appelé votre chien Aristote ? Parce qu'il est philosophe ?

— Parce qu'il est grek, maugrée-t-il.

L'artiste a de l'humour. Je sors, j'enfourche Pégase. Kilian rouvre sa porte, brandit l'enveloppe adressée à son frère – celle que j'ai utilisée pour avoir l'excuse d'entrer chez lui.

— Cette lettre n'est pas pour moi ! râle-t-il.

— Vous ne vous appelez pas Tonnerre ?

Ma voix se délabre dès que je prononce leur nom.

— Je ne suis pas le seul, renseignez-vous !

— Vous connaissez ce Brendan Tonnerre ?

— Jamais entendu parler.

— Je suis heureuse de vous avoir rencontré, dis-je.

Tandis que je m'éloigne, j'aperçois les deux vieux voisins en train de boire un verre au bistrot L'Ancre de marine, et je me demande si Kilian se rendra compte que ses mouchoirs sales ont disparu de sa corbeille.

Île de Groix, Port-Lay

Quand j'entre dans le salon, Oanelle regarde Dider en chantant : « Tu seras peut-être pas le plus fort, mon fils, mais à deux, on sera millionnaires, que je sois pauvre ou bien riche, tu seras riche d'un père. »

C'est mon tour maintenant. Je suis scrupuleusement les conseils du site Internet : je me lave les mains, je ne bois pas de café, je ne me brosse pas les dents. J'ai préparé une enveloppe avec mon nom, ma date de naissance, mon consentement signé. J'ai acheté des cotons-tiges dont je coupe les extrémités pour obtenir des écouvillons salivaires que les labos baptisent pompeusement « kit de paternité ». Je frotte un premier bâtonnet dans ma bouche, contre l'intérieur de ma joue, en comptant jusqu'à vingt, pour prélever de la salive et des cellules épithéliales. Je le laisse ensuite sécher à l'air libre dans un verre propre. Je réitère l'opération avec trois autres bâtonnets, sans que rien n'entre en contact avec l'extrémité de l'écouvillon. J'attends une heure, puis je glisse les bâtonnets dans une enveloppe en papier.

Notre ADN est le même dans toutes nos cellules, peau, muqueuses, sang, cheveux. Chaque parent transmet à ses enfants la moitié de ses gênes. Mon code génétique est de quarante-six chromosomes, dont vingt-trois viennent de Livia et vingt-trois de mon père.

Les tests de paternité « de curiosité » sont interdits en France, où ils n'ont pas de valeur légale, mais je ne suis pas française et je veux juste savoir. Je préfère ne pas recevoir les résultats chez Rozenn. J'ai demandé à Gabin si je pouvais donner son nom à la place du mien. Il a accepté en me faisant remarquer que ça risque de *gorzailler sec* si quelqu'un remarque l'adresse du labo de génétique anglais et que la rumeur invente qu'il est le fils de Kerwan.

La grande enveloppe partira par bateau, voguera vers Lorient, traversera la Manche puis arrivera à Londres. J'ai signé les trois formulaires de consentement avec des paraphes différents, donné des noms et des dates de naissance fantaisistes. Brendan Tonnerre est devenu M. Shoot, et Kilian Tonnerre M. Aristote. J'ai fait une croix devant la case « test sans mère », alors que Livia est ma seule certitude. J'ai payé plus cher pour accélérer les choses. Gabin recevra les résultats poste restante.

Île de Groix, Boîte aux lettres principale, au bourg

La Boîte principale trône à l'arrière de la poste, hautaine et fière, snobant les petites boîtes disséminées à travers l'île. Elle est la reine des abeilles, celle vers laquelle les Groisillons se précipitent. Ils savent que s'ils ratent la levée, leur courrier restera sur le caillou jusqu'à demain.

La Boîte toise la boulangerie, jouxte la halle et la Maison de la Presse, regarde passer les insulaires à l'année et le flot des touristes l'été. Elle est l'alliée qui envoie les documents administratifs, les papiers de retraite, les demandes d'APA ou de GIR, le dossier maritime. Elle est l'amie qui achemine les cartes de vœux ou d'anniversaire. Elle est la compagne de toutes les générations. On plisse les yeux pour lire les horaires de ses levées. Certains lui tapotent le couvercle après lui avoir confié une missive importante, comme on caresse la tête d'un chien fidèle.

La Boîte reconnaît la factrice qui remplace Corysande pour la tournée de Locmaria. Elle lui sait gré de ne jamais appuyer son vélo contre ses flancs, ça écaille sa peinture et c'est désagréable.

La factrice glisse dans la fente de droite, au-dessus des mentions « Autres départements » et « Étranger », une grosse enveloppe qui partira pour l'Angleterre, là où la Boîte jaune sait que ses congénères sont rouges. Elle tombe sur le courrier déjà posté en produisant un bruit sourd. La Boîte évalue le poids des objets qu'elle contient. Hmmm. Voyons. Des cheveux. Des cotons-tiges. Du fil dentaire. Des mégots de cigarettes puants. Un chewing-gum. Des cure-dents. Des rognures d'ongles. Des lames de rasoir. Des Kleenex usagés. Dans des sachets de plastique ou des enveloppes en papier.

La Boîte principale n'a jamais entendu parler de marqueurs génétiques ni d'héritage ADN. Pour elle, c'est du chinois. Elle sait qu'en Chine les boîtes sont rondes et vertes. Elle a senti que la main de la factrice tremblait en postant l'enveloppe. La jeune femme a ensuite fait un geste stupide, elle a vérifié en mettant sa main dans la fente que son courrier n'était pas resté coincé, que personne ne pouvait l'attraper, comme s'il existait des gangs de voleurs de lettres sur cette paisible île bretonne. Elle a expiré à fond, fixé la Boîte avec gratitude, humé le parfum du pain chaud de la boulangerie en face. Puis elle a esquissé un merveilleux sourire.

Île de Groix, tournée de Locmaria

C'est le dernier jour de mon remplacement, l'ultime part de tiramisu, le dernier carré de chocolat de la plaque. Je distribue le courrier. Pégase trotte joyeusement, je suis la cavalière qui saute dans les jeux de lumière et de parfums du matin, survolée par les oiseaux marins qui me confondent avec un bateau de pêche. Mon vélo se cabre, hennit, s'ébroue, naseaux fumants, oreilles vibrantes. Le soleil est si proche que je pourrais l'attraper en me juchant sur les pédales et en tendant le bras. L'océan est si beau que j'ai envie de courir à sa surface en jouant à saute-mouton avec les vagues.

Les enfants sont à l'école, les lycéens à Lorient, les commerçants dans leurs boutiques, les marins en mer, je suis seule dans le paysage. Dans mon pays, les adultes parlent fort, les chiens aboient, les Fiat 500 klaxonnent, la pizza embaume, le pape étend les bras au-dessus de la foule sonore massée devant le Vatican, les touristes râlent dans toutes les langues, les *tifosi* applaudissent les buts au foot, ça vibre, ça pulse, ça pétille comme le prosecco, ça va *crescendo.* Ici, je suis isolée, même mon ange gardien n'a pas traversé, il doit avoir le mal de mer. Je file seule à travers les villages, en veste rouge et gilet jaune. Je suis un chien fou, un poisson volant, un dauphin joueur, un faisan tranquille en période de fermeture de la chasse, une mouette rieuse.

Et puis, brusquement, il se met à bruiner, et je découvre que la pluie à Groix ne joue pas la même partition qu'à Rome. Elle n'a pas le même tempo, pas la même odeur, pas la même saveur sur la langue. La pluie qui laque les rues de Rome fait fleurir les parapluies et glisser les Vespa, caresse les hortensias de Groix et joue du xylophone sur les cirés et les ponts des bateaux. Je rejette en arrière le capuchon de la veste de Gurvan, je respire le parfum de la tournée mouillée, la fragrance de la liberté. Et enfin je débouche sur la baie de Locmaria.

Les marins de Groix ont parcouru les mers, leurs femmes ont labouré la terre et élevé leurs enfants, et moi, j'arrive avec mes questions, je suis une plume, une ombre, une étrangère, mes pieds n'impriment aucune marque sur le sable, je ne laisse rien.

— Tu as la mémoire courte, Chiara !

Pégase proteste, vexé. Je présente mes excuses à mon vélo mouillé, je le flatte, caresse ses poignées, tapote son guidon. Pour un peu, je lui donnerais un sucre ou une pomme sur ma main, tendue bien à plat.

— Même si tu n'es pas d'ici, même si cette terre n'est pas la tienne, même si les analyses que tu attends sont négatives, tu lui appartiens désormais, me souffle gravement Pégase. Tu l'as parcourue pour distribuer le courrier, ce n'est pas donné à tout le monde. C'est un honneur.

— Tu me baratines, *co.* Je te ramènerai à la poste tout à l'heure et tu m'oublieras.

— Oui, parce que les vélos n'ont pas de mémoire. Et alors ? Tu es liée au caillou, que tu le veuilles ou non.

Pégase retombe dans un silence à peine troublé par le murmure de sa batterie. Je n'ai pas d'hallucinations, je sais que les vélos ne parlent pas. Pourtant, Alessio, je te jure que je n'ai pas rêvé.

Je reprends la tournée. La pluie s'arrête, le soleil fait briller les gouttes d'eau perchées sur les fils à linge, étinceler le micaschiste des rochers argentés, sécher les flaques sur la route au goudron crevassé. J'admire pour la dernière fois les boîtes aux lettres personnalisées, le phare bleu, le poisson vert, les voiliers, les mouettes, le dauphin, les triskells, le homard, la coccinelle, le gouvernail et la famille des bateaux du Rouquin Marteau. Chacune est un maillon de la chaîne d'union de l'île.

— Je ne vous dérange pas, je ne fais que passer, je glisse des lettres dans vos panses rebondies, vous permettez ?

Elles s'amusent de me voir hésiter, revenir sur mes pas, interroger Pégase, douter, trancher. En bas d'un jardin qui donne sur l'océan, un petit chien se précipite vers moi. La porte de la maison en haut du terrain s'ouvre.

— Pas dans la boîte, au chien !

Je fronce les sourcils.

— Donne-lui le courrier, *co* !

Le chien ouvre la gueule et retrousse ses babines. Je lui tends deux lettres. Il les prend entre ses dents et cavale docilement vers la maison où le propriétaire se penche pour les récupérer.

J'arrive dans la rue de Brendan. La jeune femme à la blondeur scandinave, en jogging et bottes de caoutchouc noir, joue dehors avec le chien gris. J'ouvre de grands yeux en reconnaissant le célèbre monogramme sur ses bottes.

— Salut, Shoot ! dis-je en freinant.

— Ohé ! répond la compagne de mon possible père. Si vous avez besoin de la salle de bains, n'hésitez pas.

— Ça va, merci. Je ne savais pas qu'ils faisaient des bottes de pluie ?

— Elles ne sont pas à moi, mais à la mère de mon mec. Elle ne les porte plus.

La mère de Brendan, qui donne à manger aux poissons dans le coin de pêche secret de son mari, avait des bottes Vuitton ?

— Elle a laissé ses affaires ici, après son divorce. On a la même pointure.

Si les parents de Brendan et Kilian ont divorcé, pourquoi leur mère a-t-elle tenu à ce qu'on répande ses cendres à côté de son ex ?

— Elle a mis son mari sur la paille, elle l'a ratiboisé, séché sur place ! Il l'aimait et supportait ses caprices parce qu'elle était la mère de son fils.

— De ses deux fils, vous voulez dire ?

La blonde aux bottes griffées écarquille les yeux.

— Efflam est fils unique.

— Efflam ?

— Mon mec. Ça fait deux ans qu'on est ensemble.

Je suis perdue.

— Vous n'êtes pas la compagne de Brendan Tonnerre ?

— Vous êtes dingue ? J'ai seize ans. Il est encore plus vieux que mon père ! Je suis la copine de son fils, Efflam.

Elle éclate d'un rire moqueur et je me sens stupide.

— Tout le monde ici croit que vous êtes ensemble, dis-je.

— Il est sympa avec moi, parce qu'on traverse une passe difficile. Efflam me manque terriblement.

Ils m'interdisent de le voir, nos mails sont surveillés. Il est fragile, je m'inquiète pour lui.

— Vous n'avez pas le droit de lui rendre visite ?

En Italie, on peut rencontrer les prisonniers au parloir.

Elle secoue la tête.

— Son médecin l'interdit.

— Parce qu'en plus il est malade ?

Elle fronce ses sourcils presque blancs.

— En plus de quoi ?

— De la prison.

— Quelle prison ?

Cette conversation est surréaliste.

— On recommence de zéro. Nous sommes d'accord, vous n'êtes pas la petite amie de Brendan Tonnerre ?

— Vous êtes bouchée ? Je suis celle de son fils.

— Qui est toxico.

— Qui souffre d'une addiction.

— Et enfermé.

— Il a des permissions de sortie.

— Avec un bracelet de cheville ?

— Non, l'HP n'est pas une prison !

— La chpée ? C'est quoi ?

Elle me regarde avec compassion.

— L'HP. L'hôpital psychiatrique. Efflam est en cure de désintoxication. À cause du bébé.

— Quel bébé ?

— Le nôtre, dit-elle. C'est pour ça qu'il a décidé

de se désintoxiquer. Pour être un bon père. Brendan lui a promis de veiller sur moi et il tient sa promesse. Mes parents m'ont foutue dehors en apprenant que j'étais enceinte. Ils voulaient que j'avorte, mais nous on le veut, ce bébé. Brendan m'a accueillie chez lui. Quand Efflam sortira, on partira en Irlande avec Shoot. L'enfant naîtra là-bas, on sera bien.

Brendan n'est pas un vendu qui saute les gamines, c'est un père qui protège son fils et son futur petit-enfant.

— Vos voisins croient qu'Efflam est en prison pour trafic de drogue.

— N'importe quoi ! Brendan est un homme discret et secret, il se fiche de ce que les gens racontent. Surtout ne dites rien aux autres, promis ? Les facteurs sont comme les médecins, ils sont assujettis au secret professionnel, n'est-ce pas ?

— Je serai muette comme une tombe.

Lorsqu'elle se tourne de profil, je remarque le renflement de sa silhouette.

— C'est pour ça que Brendan était fâché que je vous fasse monter dans la salle de bains, il craignait que vous remarquiez mes vitamines de grossesse. Il est superstitieux et il y a eu trop de calomnies pendant son divorce. La première fois que vous êtes venue, il avait peur, parce qu'on attendait une lettre recommandée avec mes analyses, mais tout va bien.

Je ne suis donc pas la seule à attendre des résultats d'analyses.

— Pourquoi ne vous présente-t-il pas comme sa belle-fille ? Ça clarifierait la situation.

— Il n'imagine pas une seconde que les gens supposent autre chose ! s'écrie la future maman adolescente.

Je revois le visage de Brendan à L'Écume, l'autre soir. Il est conscient du malentendu, la blague l'amuse. Rendre les hommes fous de jalousie, plastronner, jouer les Casanova, il jubile. Les deux frères se ressemblent. Kilian cache son talent aux Groisillons. Brendan leur laisse croire qu'il est un grand séducteur. Moi aussi, j'ai un secret.

Île de Groix, au bourg

Je souffle en atteignant la place de l'église après la rude montée du port sur le vélo d'Urielle. Je regrette mon Pégase. Une voix m'interpelle :

— Chiara, *cara* !

Je freine, surprise. Mon cerveau et mes oreilles me suggèrent que Viola vient de parler, mais c'est impossible. Mes yeux sont pourtant du même avis. Ma marraine se tient devant moi, emmitouflée dans une doudoune rose bonbon. Il fait plus frais en Bretagne qu'à Rome. Je ne la vois jamais sans maquillage, même à la plage, l'été. Son visage est différent au naturel. Elle a les traits tirés, les cheveux ternes. Elle est devenue une vieille petite fille. Elle détonne dans le paysage, incongrue, hors de propos, hors sujet.

— Qu'est-ce que tu fais là ?

— Je viens implorer ton pardon.

— Mon pardon ?

Ce n'est pas moi qu'elle a trahie. Je descends de mon vélo.

— C'est à Livia que tu dois présenter tes excuses. Comment m'as-tu trouvée ?

— J'ai expliqué aux dix premières personnes que j'ai rencontrées que je cherchais ma filleule italienne et je leur ai montré ta photo.

Elle me tend son portable sur lequel j'esquisse un large sourire. L'absent magnifique n'avait pas comme moi les dents de la chance. Brendan et Kilian non plus, Livia encore moins, il a fallu que ça me tombe dessus.

— Il y a même un dingue qui t'a prise pour la factrice, tu te rends compte ?

Elle a ensoleillé mon enfance. Et gâché les cinquante ans de Livia. Sans elle, je serais morte de tristesse. Sans elle, j'ignorerais l'existence de Groix.

— Tu es descendue dans quel hôtel ?

— Je repars par le dernier bateau. J'ai une chambre à Lorient, un train tôt demain, puis un avion pour Rome. Mon travail m'attend et ma mère a besoin de moi.

Viola a cinquante ans et n'arrive pas à couper le cordon ombilical.

Elle m'examine avec attention.

— Tu as changé, Chiara. Mûri.

— Et grossi, forcément, avec la cuisine de Roz…

— J'aimais l'homme dont tu portes le nom, dit-elle brusquement.

— Tout le monde l'aimait, d'après ce que vous m'avez raconté.

— Je l'aimais d'amour. Je le voulais pour moi. Ta mère me l'a volé.

Ma mère et sa meilleure amie sont devenues folles. Elles se disputent la dépouille d'un homme dont les os blanchissent à Verano depuis vingt-six ans.

— Je ne veux pas le savoir, ça ne me regarde pas, dis-je en haussant les épaules.

— Ta mère a séduit l'homme que je lui ai présenté et dont j'étais amoureuse. Je leur en ai voulu à tous les deux. Je suis devenue la veuve cachée, portant en secret le deuil de mon amour déçu. Puis Livia a trop bu et elle s'est consolée dans les bras du marin breton.

Elle fait une pause.

— J'avais passé la nuit à danser avec l'autre Français. C'était un merveilleux danseur. Je portais une robe jaune neuve, je souriais. Pour la première fois, j'étais plus belle que Livia, tout de noir vêtue. Ce soir-là, elle avait le teint blafard. J'espérais revoir mon Français. Je lui ai donné mon adresse, mais il ne m'a jamais écrit. Ils étaient juste de passage, Chiara. C'était sans conséquences.

— C'est peut-être moi, la conséquence.

— Tu aurais dû être ma fille, pas ma filleule. Je me serais mieux occupée de toi.

— Mais c'est Livia, ma mère ! dis-je instinctivement.

Je la défends par réflexe. Je lui dois la vie.

— Il paraît que l'un d'eux lui a écrit et qu'elle n'a pas donné suite ? dis-je, me souvenant de ce que le cousin des frères Tonnerre a dit à Perig, au Triskell.

— La lettre n'est jamais arrivée, m'assure Viola.

— Il ne s'appelait pas Éclair, mais Tonnerre, n'est-ce pas ?

Son visage s'illumine, elle hoche la tête.

— Et son prénom ? Brendan ? Ou Kilian ?

— Je ne l'ai jamais su. J'ai dansé avec l'un, ta mère a couché avec l'autre.

Elle n'y va pas de main morte.

— Tu as dit à Livia que tu étais amoureuse de son mari ?

— Le lendemain de ses cinquante ans. Avant, je ne pouvais pas.

— Tu te sens mieux ?

— Non, je n'en dors plus. Je veux réparer le mal que j'ai fait, arranger les choses. Vous êtes ma famille.

— C'est trop tard.

Elle me supplie du regard, mais je m'échappe loin, ailleurs. Sur une île de l'archipel toscan où Napoléon a imprimé sa marque, dans une chambre inconnue où un homme et une femme se sont enlacés huit mois avant ma venue au monde. J'oublie toutes les attentions de Viola autrefois, les sorties au cinéma, les goûters, les balades à la Villa Borghèse. Je suis une ingrate, comme ma mère. Les chiens ne font pas des chats.

— Ne rate pas le dernier bateau, dis-je.

Sa bouche tremble.

— Tu reviens quand, à Rome, Chiara ?

— Ça ne te regarde pas, dis-je brutalement.

Elle encaisse.

— Tu les as trouvés ? demande-t-elle. Les deux frères, ils sont ici ? Ils t'ont parlé de moi ?

Kilian a son chien et ses aquarelles, Brendan son fils et l'enfant à naître, il n'y a pas de place pour Viola dans leurs vies. Du moins, pas tout de suite. Je ne veux rien précipiter avant d'avoir les résultats d'analyses.

— C'est pour eux que tu es venue ? Ils ont tout oublié.

— Je t'ai apporté la lettre où ta mère m'a écrit qu'il valait mieux pour tout le monde que tu sois la fille de son mari.

Je recule sans prendre la feuille. Une voiture monte du port, Brendan est au volant. Il tourne devant le manège, indifférent à cette femme qui n'a plus rien à voir avec la danseuse en robe jaune de Toscane. Viola ne prête aucune attention au conducteur au crâne dégarni. Est-ce avec lui qu'elle a dansé ? Ou est-ce avec lui que Livia a passé la nuit ?

— Cette lettre ne m'est pas destinée, dis-je.

— Rentre avec moi, *cara*.

— Je reste ici.

Elle me fait pitié.

— J'ai besoin de temps et de solitude.

— Marco t'a cherchée partout. Il est allé seul au mariage de son frère. Il y a rencontré une femme moins compliquée que toi.

— Et il a cessé de me chercher. Ça devient une habitude chez toi de balancer des vérités sous prétexte de franchise.

— Vous alliez bien ensemble. C'est un jeune homme solide et sympathique, pas un menteur marié comme Mattia. C'est peut-être encore rattrapable ?

— Marco n'a pas mis longtemps à me remplacer. Il mérite quelqu'un qui le rende heureux. Ta trahison a fait sauter mes verrous, dis-je doucement. Je me sens bien ici.

— Tu n'es plus la même.

— Il était temps.

Viola et sa doudoune trop rose se dirigent vers le port. Derrière moi, sur le monument de granit, je lis une inscription : « La commune de Groix à ses enfants morts pour la Patrie, 1914-18, 1939-45, 1953-1962. » Les mêmes noms reviennent. Il y a huit Tonnerre.

Petite, j'aimais avoir de la fièvre, rester au lit, être en sueur, et surtout tousser. Parce que, quand ma poitrine brûlait, Livia me la frictionnait avec un onguent niché dans une boîte bleue. Il me piquait les yeux, m'aidait à respirer, obligeait ma mère à me toucher. Je sentais ses doigts sur ma peau. Ce n'étaient pas des caresses, elle me tartinait le torse avec énergie. Nous étions enfin une mère et sa fille. L'absent magnifique nous souriait dans son cadre. Lui, il ne risquait pas d'attraper la crève. On était tous les trois dans ma chambre. Chaque fois qu'un enfant à l'école avait la grippe, une angine ou une otite, je le suppliais de me tousser à la figure. Cela désespérait Livia, elle devait prendre un congé pour me soigner. Mais moi, j'étais heureuse avec ma mère, la boîte de Vicks et le souvenir de mon père.

Île de Groix, au bourg

Bethy, large sourire et lunettes rouges, une lectrice passionnée qui a parlé littérature avec Gabin, a invité des amis à dîner. Il y aura ses voisins Pat et Mimi, Loïc l'ancien boucher, Perig et Aziliz, Françoise, Gabin et moi.

Rozenn me propose de faire un cake au romarin pour l'apéro. Je le prépare avec son aide alors que je n'ai jamais cuisiné avec Livia de ma vie. On pèse les ingrédients, on ramollit le beurre, on préchauffe le four, on mélange, on fouette, on verse dans le moule, on enfourne. C'est si nouveau pour moi, un moment de grâce, une parenthèse, je ne vis pas dans cette île, Rozenn n'est pas ma mère. J'engrange des souvenirs, ça me donnera des forces pour affronter la morne vie que je retrouverai en rentrant chez moi.

Je croyais les cakes bourratifs, celui de Rozenn est moelleux et aérien, on le liquide en dix minutes. La recette lui a été donnée par une amie de Lomener. La prochaine fois, elle m'apprendra le *magical cake* au chocolat de son amie Martine.

Des copains de Loïc nous rejoignent à la fin de l'apéro : Santu et Saveria parlent français avec un accent qui ressemble à celui de Gabin, ils ont la même Corse que lui autour du cou. Il leur décoche son sourire charmant.

— Vous êtes d'où ? demande-t-il.

— Du cap Corse, au nord. Il n'y a pas plus beau.

— Je suis d'en bas, là où la mer est plus belle.

Ils se mesurent du regard. Loïc croyait faire plaisir en les réunissant, on assiste à un combat de coqs. La Haute-Corse et la Corse-du-Sud s'affrontent.

— Dans le temps, c'était pareil ici, entre *piwisy* et *primiture*, l'ouest à Pen Men et l'est autour de Locmaria. On ne se mariait pas avec ceux de l'autre bout de l'île, on ne les fréquentait pas, dit Perig.

— On ne vit pas dans le même département, 2A et 2B, mais on est tous corses. Ceux d'en bas ne sont pas des *pinzuti*, des continentaux, précise Santu avec un rire communicatif.

Le dîner est délicieux, le vin vigoureux.

— On se connaît depuis des années, hein, Loïc ? dit Santu, ému.

— Ton père venait aux Grands Sables pêcher la limande ou le bar.

— C'est son cousin, le pauvre Sampieru, qui lui a fait découvrir Groix. Tu te rappelles, *aio* ?

Son « tu te rappelles » monte et descend telle une sinusoïde.

Son accent est moins saccadé, plus mélodieux que celui de Gabin.

— Vous parlez de qui ? demande Bethy qui arrive de la cuisine avec un gigot d'agneau en croûte, cerné de haricots verts et de champignons.

— D'un cousin du père de Santu, répond poliment Gabin pour l'intégrer à la conversation. Il habite ici ?

Saveria le regarde. Santu se tourne vers Pat.

— Je t'ai apporté le CD d'I Muvrini dont je t'avais parlé, celui avec *Barbara Furtuna*, dit-il.

Il se tourne vers Gabin.

— Tu chantes ?

— Comme une casserole, mais j'adore les polyphonies corses. C'est qui cette Barbara ? Une invitée sur le disque ?

Santu tousse. Bethy me demande la recette du cake au romarin.

— Saveria est la reine du *fiadone*, annonce Santu à Gabin. Toi aussi, ta grand-mère t'en faisait quand tu étais petit ?

— Bien sûr.

— Le vrai, l'authentique, sans *brocciu* ?

— Sans *brocciu*.

— Avec le chocolat et les noix ? vérifie Saveria.

— La totale.

— Tu es aussi corse que je suis groisillon, dit lentement Santu. Pourquoi tu mens ?

Un silence de mort suit ses paroles.

— C'est une blague ? demande Gabin, soudain pâle.

— Tu te prétends de chez nous et tu portes la Corse en pendentif, mais tu connais moins bien l'île qu'un *pinzutu*.

— Le *fiadone* est un gâteau au *brocciu*, c'est son ingrédient principal. Je t'ai tendu un piège et tu es tombé dedans, renchérit Saveria. Aucune grand-mère n'y met du chocolat.

— Pourquoi un piège ? dis-je, volant au secours de Gabin.

— Parce que n'importe quel *pinzutu* du continent sait que *Barbara Furtuna* est soit le titre d'une chanson, soit le nom d'un groupe polyphonique. Ce n'est pas une femme, c'est une expression corse, ça veut dire « mauvaise chance ».

La soirée vire au règlement de comptes.

— Je ne parle pas corse et je ne cuisine pas, dit Gabin. C'est un crime ?

— Si tu étais corse, poursuit Santu, tu saurais que si je dis « le pauvre » avant le nom de Sampieru, ça veut dire que Sampieru est mort. C'est une marque de respect. Donc il n'habite plus ici. Et donc tu nous mens.

Gabin recule sa chaise et se lève, calme et digne.

— Je vous laisse entre vrais insulaires, dit-il. Je

suis corse par mon père, qui ne m'a pas fait l'honneur de me reconnaître. J'ignore tout de vos codes. Ma grand-mère n'a jamais daigné me rencontrer. Je vous ai menti, c'est vrai, pour me sentir des vôtres.

— Désolé, dit Santu. Ça m'a paru bizarre. Je te présente mes excuses, *aio*. Reste, on va trinquer. J'ai eu tort.

— C'est moi qui ai eu tort. La Corse ne veut pas de moi. J'espérais que la Bretagne m'accueillerait.

Il quitte la pièce. La soirée amicale part en eau de boudin. On savoure l'excellent gigot. Bethy a fabriqué des feuilles et des fleurs en pâte pour décorer le plat. Elle et Mimi sortent fumer dans le jardin. J'ai fini mon remplacement, j'attends les résultats des tests ADN. Si je veux, je peux dormir jusqu'à midi demain.

Je pense à Gabin, dans la grande maison de Port-Mélite, avec le cœur en bandoulière et la Corse autour du cou. Santu a apporté de l'alcool de myrte, il chante *Barbara Furtuna*, Saveria me souffle que la chanson parle d'exil, de liberté perdue, du déchirement de devoir quitter sa terre. Pat joue *Dirty Old Town* à l'harmonica. Loïc entonne avec Françoise, Perig et Aziliz : « Les vieux parlent du temps passé, à Locmaria et Port-Tudy, si vous n'comprenez pas, tant pis, moitié français, breton moitié, on dit que l'on y voit sa joie, on dit que l'on y voit sa croix, je parle de l'île de Groix. » La soirée est sauvée, mais je n'arrive pas à chasser Gabin de mes pensées.

Aziliz fait signe à Perig, il est temps de rentrer. Pat et Mimi traversent le jardin, Loïc rentre en voiture, Françoise enfourche son vélo. Je marche dans la rue du Presbytère avec Perig et sa femme. Il a trop bu, mais il sait où les gendarmes attendent les conducteurs éméchés, il empruntera des chemins de traverse.

— Je vais voir comment va Gabin, dis-je.

— Il faut que je te parle, Chiara.

Perig s'assied sur le muret en face de la petite mairie blanche.

— Je ne voulais pas te le dire, mais il vaut mieux que tu le saches.

— Vous avez parlé de moi aux frères Tonnerre ?

Ma respiration s'accélère.

— Ça ne concerne pas les Tonnerre, c'est au sujet de Gabin.

— Il a menti, il n'est pas corse. On s'en fout, non ?

Je crois en lui. Quand la terre s'effondre sous vos pieds, on a besoin d'une ancre bien crochée. Gabin et moi sommes deux étrangers sous le charme de l'île aux sorcières. Nous nous ressemblons, nous devons nous serrer les coudes.

— Il a menti sur toute la ligne, dit Perig.

— Quoi ?

Je pense à Mattia, l'amant de Viola. Gabin est-il marié et père de famille ? Ou est-ce un fou qui s'est échappé d'un hôpital psychiatrique, comme celui où Efflam se reconstruit ?

— Il n'est pas écrivain, lâche Perig dans un souffle.

— Bien sûr que si. Ses livres sont publiés sous d'autres noms.

— C'est ce qu'il nous a raconté. Et ce n'est pas vrai.

— Alors vous aussi, vous voulez le confondre ? dis-je avec humeur.

Un couple enlacé traverse la place en chavirant. Nous le laissons passer avant de poursuivre la conversation.

— Je n'ai écrit qu'un seul livre, qui n'a pas trouvé ses lecteurs, mais je sais comment ça marche, dit Perig. Pas lui, manifestement.

— Expliquez-vous.

— Il croit que les auteurs apportent leurs livres dans les librairies pour les vendre aux lecteurs.

— Ben oui, ils ne les donnent pas, il faut bien qu'ils vivent !

— Les choses ne fonctionnent pas de cette façon. Ce sont les libraires qui vendent les livres. Si les auteurs en veulent, ils sont obligés de les acheter.

— Leurs propres livres ?

— Absolument.

— Vous êtes sûr ?

— Certain ! Mais Gabin l'ignore. L'autre soir, à

L'Écume, il a dit qu'il n'avait pas apporté de livres. Ça m'a mis la puce à l'oreille.

Un chien insomniaque se balade la truffe au vent, s'arrête pour nous renifler, puis repart en vadrouille. Perig secoue la tête.

— Tout ce qu'il prétend est faux. Ce garçon est un imposteur.

— Ou un mythomane ? suggère Aziliz.

Le chien repasse, guilleret. Il nous renifle, nous reconnaît, nous quitte, déçu.

— Vous pouvez me prêter votre portable ? dis-je à Perig.

Île de Groix, Port-Mélite

Les volets sont fermés, je n'aperçois aucune lumière, la maison dort. Il est minuit plein. Je m'adosse au mur d'en face et j'écris un SMS à Gabin. J'envoie : « Suis devant chez toi. On peut se parler ? » Il répond dans la seconde : « Je dors profondément. » J'envoie : « Réveille-toi. » Il rétorque : « Je ronfle. » Puis la porte s'ouvre.

Il est sexy avec sa grande bouche menteuse, ses boucles emmêlées, ses New Balance rouges, ses histoires délirantes. Il n'a pas l'air fou, seulement triste.

Je monte derrière lui jusqu'à sa chambre qui donne sur l'arrière. Kerwan, logé à l'avant, ne risque pas de nous entendre.

— Tu dormais donc à poings fermés.

— En ronflant comme un bienheureux.

— Désolée pour tout à l'heure, dis-je.

— Je me suis senti traqué, aussi acculé qu'un sanglier dans une battue en Corse.

— Santu et Saveria vont repartir, ils n'ont aucune importance, ils ne sont pas d'ici.

— Moi non plus. Toi non plus. Il faut quatre plaques au cimetière pour être groisillon, quatre générations d'une même famille enterrées sur cette terre. Nous sommes des étrangers.

— Nous sommes ceux que nous aimons et ceux qui nous manquent, dis-je. Le reste, d'où l'on vient, ce qu'on fait, est sans importance.

Il fronce les sourcils.

— Je ne suis pas d'accord. Un boulanger de Rueil-Malmaison n'a rien à voir avec un médecin parisien ou un écrivain corse. Nos choix nous déterminent et balisent le chemin en réduisant nos possibilités.

Le capitaine Kerwan n'est pas frileux, il a éteint le chauffage. Sa maison est humide, je frissonne. Gabin me frotte le dos pour me réchauffer, puis m'attire contre lui. Je love ma tête au creux de son épaule. L'attaque dont il a été l'objet ce soir a touché en moi une corde sensible qui vibre sur une note basse et profonde.

— L'absence de mon père a été plus positive pour moi que la présence de ma mère, dis-je.

— Je n'ai pas connu mon père non plus. Un jour, j'ai demandé à ma mère pourquoi il n'était pas là. Elle m'a répondu : « Ton frère et toi êtes les plus beaux cadeaux de ma vie. Il ne sait pas ce qu'il rate, je le plains. » Alors je n'ai plus insisté. « Il ne sait pas ce qu'il rate » est devenu une blague entre nous. Aujourd'hui, je n'ai plus de famille. Tout ce que je possède est dans ce sac : il contient mes vêtements et le dernier livre que ma mère a lu. Ça me suffit.

Son sourire illumine la pièce. Ce type est captivant et cassé.

— Santu et Saveria ont raison, je n'ai jamais mis les pieds sur l'île de Beauté. Mon père est peut-être corse, breton, normand ou chtimi, j'ignore son nom, ses origines et ce que cuisinait sa mère. Mais je connais l'île aux grenats.

Il roule sur le côté, soulève mon chandail, m'effleure. Un courant électrique me traverse à l'endroit où il a posé sa main chaude.

— *Enez Groe* est un caillou au milieu de l'eau, trois lieues au large.

Il dessine, du bout des doigts, les contours de l'île sur mon corps.

— Là tu as la plage des Grands Sables, la seule plage convexe d'Europe.

Il continue et je ferme les yeux pour me concentrer sur le raz de marée sous ma peau.

— Avant elle était ici, mais elle a doublé la pointe, à cause des courants, et maintenant elle est là.

Je tends la main, je caresse cet homme menteur et mystérieux aux yeux clairs, je m'aventure sur son corps. Je continue le jeu :

— Je vis à Rome, dans le centre historique dominé par sept collines, l'Aventin, le Capitole, le Pal…

« Gabin comme l'acteur » ne me laisse pas finir. Il m'étreint, je l'enlace. Je ne sais même plus si j'ai mis un string ou une culotte ce matin. On retire nos vêtements à la hâte. Il sent le cuir, le poivre, le vétiver. Il prétend que je sens la menthe piquante et fraîche. Notre premier baiser est fougueux, heureux, évident. J'attendais le goût de ses lèvres et la saveur de sa peau. Son souffle chaud a le parfum du sable l'été sur la plage de Fregene. On se prend dans les bras, le désir nous affole et nous fait tanguer.

Pour la première fois de ma vie, je vogue vers un rivage où je n'ai pas prise. L'envie que Gabin et moi avons l'un de l'autre est insoutenable, abyssale. On ancre nos regards l'un à l'autre, on prend la mer ensemble.

Avant, je craignais de perdre le contrôle. Cette nuit, je comprends que sans lui je perdais ma vie.

Après l'amour, on se découvre une faim d'ogres. Gabin a quitté la table au milieu du dîner, l'esclandre m'a coupé l'appétit, on est affamés. Il remet son jean et descend torse nu jusqu'à la cuisine de Kerwan où je l'accompagne en enfilant son pull irlandais. Il n'y a rien à manger dans le frigo du capitaine, seulement des bières et du cidre. Il prend ses repas au Café de la Jetée sur le port.

Gabin ouvre un placard et tombe sur du whisky breton, pas celui des touristes, du confidentiel, réservé aux initiés. Je trouve dans un tiroir des plaques de chocolat noir à la fleur de sel. Kerwan fait ses courses à Groix, on remplacera ses provisions. Gabin me décrit le goût – qu'il ne connaît pas, mais qu'il se plaît à imaginer – d'un champagne qu'il ne savourera jamais. Sa mère lui a offert une bouteille de son année de naissance, il y a renoncé en coupant les ponts avec son frère et sa belle-sœur. Je prends dans ma bouche une gorgée de whisky et je lui donne à boire en l'embrassant. On remonte, désaltérés, repus, pas encore rassasiés l'un de l'autre.

Quand le jour se lève, on a fait le tour de la terre ensemble. On a dormi emmêlés, intriqués, mélangés, pour effacer les jours noirs et les idées grises. Je ne suis plus la fille sans père, je ne suis plus la fille de ma mère, je suis cette femme avec cet homme. Toi et moi. Nous. Gabin, les joues ombrées d'une barbe cuivrée, sort du lit en bataille. J'aime ses fesses musclées, je le regarde ouvrir la fenêtre. Et tandis que l'air frais s'engouffre dans la chambre, je lui dis qu'il est fou, il répond « fou de toi ». Puis il revient s'allonger près de moi et murmure :

— Ça te gêne que je ne sois pas corse ?

— Je m'en contrefiche.

— Ça te décevrait que je ne sois pas écrivain ?

— Idem.

Il sent le pain chaud, la vie, les rires et la musique. Il dit :

— Ça tombe bien. Je suis né dans les Yvelines, à

Chatou, à l'ouest de Paris. Et je n'ai jamais écrit de livre ni sous le nom d'un autre ni sous le mien.

— Moi non plus.

— Ça te décevrait que je ne m'appelle pas Gabin ?

— Rien n'est vrai alors ? Tu es un personnage de roman ?

— Non. Nous sommes réels, souffle-t-il.

Et il me le prouve. Un long moment après, je murmure :

— Tu t'appelles comment ?

— Charles. À cause de Baudelaire.

« Gabin comme l'acteur » s'appelle Charles comme le poète.

— Et ces deux dernières années, je me suis appelé Louis, comme Aragon.

Il plonge son regard dans le mien.

— Je n'ai rien à cacher, Chiara. J'ai seulement rêvé.

— Je t'ai parlé de mon ami d'enfance Alessio ? dis-je.

— Oui.

— Ça te décevrait qu'il ne soit pas mon ami d'enfance ?

Il s'appuie sur un coude et promène ses doigts sur ma peau. La main de Charles est encore plus affolante que celle de Gabin.

— Tu ne peux pas me décevoir, Chiara. Tu t'es inventé un ami invisible pour être moins seule ?

— Alessio était mon père. Il m'a aidée à grandir en tant qu'enfant de mon âge. Il ne m'a pas accompagnée ici. Il est resté à Rome. Je n'ai plus besoin de lui.

Je n'ai plus besoin de toi, papa. Le mot m'écorche la langue, il roule sur mon palais. Papa sonne mieux qu'Alessio. Je vais cesser de t'appeler par ton prénom. Tu n'es pas mon meilleur ami, tu ne l'as jamais été, puisqu'on s'est ratés de peu. *Nonna* Ornella me parlait de ton audace de vivre, tu as eu l'audace de mourir. Tu as mon âge, tu t'es arrêté à vingt-cinq ans, tu les auras encore quand j'en aurai cinquante, puis quatre-vingts.

Au revoir, Alessio.

— Charles te va mieux que Gabin ou Louis, dis-je.

— Ma mère adorait Baudelaire. « Mais les vrais voyageurs sont ceux-là seuls qui partent pour partir ; cœurs légers, semblables aux ballons, de leur fatalité jamais ils ne s'écartent, et, sans savoir pourquoi, disent toujours : allons. » J'ai suivi son conseil, j'ai baroudé.

— « Un voyage est comme un naufrage, et ceux dont le bateau n'a pas coulé ne sauront jamais rien de la mer. » Tu connais Nicolas Bouvier ?

— *L'Usage du monde* est un de mes livres préférés.

— On est trop nombreux dans cette chambre, dis-je.

— Ils sont sur le point de s'en aller.

— On a été heureux de vous voir, les Italiens et les Corses, les poètes et les écrivains. On voudrait un peu d'intimité, maintenant.

— Exactement. À bientôt, revenez quand vous voulez.

— On ne vous raccompagne pas.

Nos corps mettent le cap sur une île déserte où nous sommes les uniques naufragés.

— Ils ne savent pas ce qu'ils ratent, dit Charles, la voix rauque.

— Il n'y a plus que nous, dis-je, mêlant mes jambes aux siennes et roulant avec lui.

Je le trouve irrésistible avec sa bouche gourmande. J'ai envie qu'il aime les romans, les vins rouges de Barolo dans le Piémont, les chansons de Fiorella Mannoia, les fugues de Bach et les petits sandwichs triangulaires des bars romains. Ceux aux crevettes, pas ceux au thon.

Île de Groix, Kermarec

Tu t'appelles Charles, tu n'es jamais allé en Italie, tu as rencontré Chiara Ferrari sur le bateau pour l'île bretonne de Groix. Tu la trouves belle à mourir avec ses lèvres sucrées. Tu as envie qu'elle aime la poésie, les grands vins de Bourgogne, les chansons de Barbara, le requiem de Mozart et les choux à la crème. Ceux à la chantilly, pas ceux à la crème pâtissière.

Tu es venu rétablir la vérité pour Perig et lui rendre son portable. Le correspondant de presse t'invite à t'asseoir. Il te sert un café tiré d'une grande cafetière *grèke*. Le chat Chapô saute sur tes genoux sans te demander ton avis et fait sa pelote en labourant tes cuisses avec ses griffes.

— Je suis heureux de te voir, dit Perig. Même si tu n'es ni corse ni auteur. Tu es un coquillage creux ballotté par les vagues. Tu nous as bien eus.

Droit au but, franco de port.

— Enfant, je rêvais de devenir écrivain. Mais je suis trop vaniteux et pas assez généreux, sans doute.

— Tu vis comment, quand tu ne mens pas ?

Tu lui déballes tout. Tu voudrais croiser un genou sur l'autre, mais Chapô t'en empêche.

— Ma mère est morte d'un ulcère perforé. J'ai commencé médecine pour sauver les mamans des autres. J'ai échoué deux fois de suite au concours. Si je ne pouvais pas devenir celui que je voulais, je ne pouvais plus être moi. Il ne me restait plus qu'à endosser un nouveau rôle, me couler dans la peau d'un autre.

— L'écrivain corse ?

— J'ai d'abord travaillé deux ans dans un service de réanimation sous une fausse identité. J'ai adoré.

— Les pêcheurs pêchent, Gabin ment. C'est ta façon d'appréhender l'existence ?

— De l'améliorer. J'étais un bon médecin, efficace et compatissant, mais mon prête-nom est parti vivre à Marseille. Je ne voulais pas débarquer ici comme un Parisien. Venir d'une île, ça sonnait bien. J'ai vécu avec une attachée de presse née à Porto-Vecchio, je croyais en avoir appris suffisamment sur la Corse pour être crédible.

— Il faut se documenter avant de mentir. Tu ne lis pas de romans d'espionnage ? Tu aurais dû te préparer au lieu de débarquer la fleur au fusil. Ton imposture a choqué Santu et Saveria. Les bruits courent vite ici. La rumeur va enfler, déferler, tout balayer sur son passage.

— Je ne peux plus partir comme un voleur,

dis-tu en le fixant droit dans les yeux. Je ne m'attendais pas à Chiara. Je lui ai dit toute la vérité.

— Tu triches aussi avec elle ?

— Non !

Tu as crié.

— Si elle souffre par ta faute, je te retrouverai où que tu sois et je te ferai regretter d'être né, rugit Perig.

— Je l'ai souvent regretté. Aujourd'hui je m'en félicite. Où Chiara sera je serai. Où mes bras seront ils l'entoureront.

— Je vais allumer un contre-feu, décrète Perig. C'est la meilleure stratégie. Je vais dire que tu as prétendu être corse, comme le héros de ton prochain roman, pour mener une étude psychologique. Mais tu me devras un service en échange.

Il se penche vers toi.

— Kerwan est mon ami, martèle-t-il. Tu vas écrire ses mémoires.

— Je tiendrai ma promesse.

— Tu as intérêt ! Et en plus, tu vas écrire un roman. Plonger, oser, passer des heures à te colleter avec les mots, bosser comme un marin en campagne de pêche, puis proposer ton texte à des maisons d'édition. Si tu as une plume, elles le reconnaîtront. Pour une fois dans ta vie, prouve que tes mensonges sont vrais. Anticipe, dépasse, romance, partage, crée !

Tu restes silencieux. Des chapitres s'alignent dans

ta tête, puzzle de papier dont les pièces glissent en douceur vers la place où elles s'emboîteraient parfaitement.

— Les Groisillons se contreficheront que tu ne sois pas corse. Mais ils ne te pardonneront pas de les avoir trompés sur ton métier.

— Je ne suis pas certain d'être capable…

— Tu es si mauvais que ça ?

Tu regimbes, vexé :

— Je ne sais pas, je n'ai jamais essayé.

— Qu'est-ce que tu attends ?

Tu n'aimes pas son ton paternel, tu n'es plus un gamin.

— Merci de vos conseils, dis-tu pour couper court.

— Je ne t'ai rien conseillé ! proteste Perig. J'ai voulu influencer mon fils, je ne recommencerai pas. Deviens ce que tu prétends être. Défends-toi, cesse de te déguiser. Les enfants jouent à « si j'étais », les adultes « sont ». Ce n'est pas une mince affaire, ça prend toute la vie.

Si tu avais eu un père de sa trempe, vous vous seriez affrontés, défiés, aimés. Alice n'a pas pu aimer un crétin. Qu'est-ce qui l'empêchait de vivre avec ton père ? Il était marié à une autre ? Il vivait à l'autre bout du monde ? Il était malade ? Violent ? Fou à lier ? Mort ? Autant d'hypothèses, autant de romans possibles. Tu ne sais même pas si tu as eu le même père que Paul. Deux frères, deux enfants non reconnus. Alice ne voulait pas d'homme à la maison. Elle dormait seule, son cœur ne battait qu'à son propre tempo.

Tu demandes, pour savoir à quel point Chiara s'est confiée à Perig :

— Vous savez pourquoi Chiara cherche ce Tonnerre ?

— Parce qu'elle se cherche elle-même. Tu te cherches. Vous vous êtes trouvés.

Il se lève, marche vers le placard, rapporte une bouteille de cognac, remplit deux verres.

— Je n'aime pas boire seul et Aziliz ne peut plus m'accompagner. Quand Gurvan n'est pas revenu sur la plage, on a prévenu les pompiers, les gardes-côtes, le Cross-Étel*. On a déclenché l'hélico et le bateau de sauvetage. J'ai passé trois jours et trois nuits sur l'eau. Le quatrième soir, j'ai pris une monstrueuse cuite. Aziliz, elle, a fait le vœu de ne plus boire d'alcool jusqu'au retour de notre fils. Chaque fois qu'on retrouve un noyé sur une plage, je planque les bouteilles. S'il revient un jour, mort ou vif, elle entrera en coma éthylique sans passer par la case départ. Va écrire, Gabin.

— Je ne vous ai pas tout dit. Je m'appelle Charles.

---

* Cross : Centres régionaux opérationnels de surveillance et de sauvetage.

Il ouvre des yeux grands comme le Trou de l'Enfer.

— Pourquoi as-tu choisi Groix ?

— À cause de Wilhelm Albert Wlodzimierz Apollinaris de Kostrowitzky.

Tu récites :

— « Sous le pont Mirabeau coule la Seine. Et nos amours, faut-il qu'il m'en souvienne. La joie venait toujours après la peine. »

— Je connais Apollinaire. Quel est le rapport avec l'île ?

— « La joie venait toujours après la peine. » La joie. « Qui voit Ouessant voit son sang. Qui voit Molène voit sa peine. Qui voit Sein voit sa fin. Qui voit Groix voit sa joie. » J'avais besoin de joie.

— Va partager ta joie avec Chiara.

Tandis que tu t'éloignes, il marmonne la fin du poème : « Vienne la nuit, sonne l'heure, les jours s'en vont, je demeure. »

Île de Groix, le bourg

Tu étais seul avant de rencontrer Chiara, à présent tu te sens seul si elle est loin de toi. Quand vous marchez, vos doigts s'entremêlent, aimantés, accordés. Vous cheminez au même rythme, souples, gracieux, assurés, en phase. Elle est la rencontre que tu espérais, le cyclone, le tourbillon, la houle déchaînée, la vague cambrée, la femme poème, celle qui écrit tes jours sans que tu aies besoin de mentir. Celle qui te donne envie de poser ton sac, de récupérer ton nom, d'être toi, celui du temps d'Alice. Celui d'avant Patty.

Perig t'a expliqué l'origine du dicton « Qui voit Groix voit sa joie » : les marins au retour des campagnes de pêche risquaient le naufrage devant Ouessant, Sein ou Molène. Mais quand ils arrivent dans les Courreaux de Groix, il n'y avait plus de danger, ils se savaient saufs. Tu es sauvé ici, avec elle.

Tu entres dans la poste, tu salues Rozenn derrière

son guichet. Une grande enveloppe blanche t'a été adressée poste restante, oiseau de mer épuisé après la traversée depuis l'Angleterre. Tu brûles de l'ouvrir, de savoir. Tu résistes à la tentation. Chiara doit apprendre la vérité en premier.

Rozenn, occupée par une randonneuse à sac à dos et grosses chaussures, ne te voit pas sortir. Perdu dans tes pensées, tu bouscules Jo le Port, un ami de Perig, au bas des marches.

— Regarde où tu vas, *co* ! dit-il en souriant.

Tu t'excuses. Tu sais où tu vas. Au nord-ouest de l'île, près du grand phare. À Pen Men, là où Chiara est allée avec Dider et Oanelle.

Île de Groix, Pen Men

Dider a fabriqué deux cerfs-volants identiques pour Nolan et Evan. Il m'a demandé de l'aider à les tester ce matin sur la falaise.

Urielle lui manque. Oanelle tourne sur elle-même, bras à l'horizontale, en chantant : *« Me zo ganet é kreiz er mor, e bro Arvor. »*

— Je suis né au milieu de la mer, au pays d'Armor, me traduit Dider. C'est de Yann-Ber Calloc'h, le poète groisillon tombé dans la Somme, en 1917.

Nous sommes dans la réserve naturelle où nichent des colonies d'oiseaux marins protégés. Dider nous emmène là où on ne les dérangera pas.

— Le vent est favorable, la météo marine parfaite, le terrain dégagé. On ne s'accrochera pas dans les arbres ou les fils électriques.

Les cerfs-volants représentent des goélands avec un œil rond, un bec jaune marqué d'un point rouge, des plumes blanches.

Je n'en ai jamais manié.

— On en prend chacun un, on se met face au

vent, on le maintient en l'air, on donne du mou en tirant sur la ligne... regarde !

Le vent gonfle la toile de son oiseau qui plane impeccablement.

Le mien s'envole, pique du nez, tourbillonne vers le sol. Je ne suis pas douée.

— Réessaie !

Dider me prend le bras pour me montrer. Ça ne me gêne plus. Étreindre Charles et m'abandonner dans ses bras a modifié ma façon de rentrer en contact physique avec les autres. Je ne suis plus prisonnière.

Je retente ma chance, je cours, mon goéland de papier hésite, puis rejoint son jumeau. Oanelle les regarde, bouche bée, émerveillée. Nous jouons dans le vent sous l'œil vigilant du phare qui empêche les bateaux de s'écraser sur les rochers.

— Urielle ne va pas bien, dit-il. Elle se confiait à moi autrefois, avant le fichu escogriffe.

— Le père des korrigans ?

Il acquiesce.

— Elle est malheureuse... Je voudrais l'aider, mais je me sens impuissant.

Je m'approche pour l'écouter, nos cerfs-volants s'emmêlent, il dégage le sien, le mien fait une chandelle. Je m'éloigne en courant et il redécolle.

— Ohé !

Je me retourne. Charles nous rejoint à grandes enjambées, une enveloppe à la main. *Mon* enveloppe. Ma vie changera peut-être dans une seconde. Je cours vers lui, suivie par l'oiseau de papier. Dider, inconscient de ce qui se joue, fait des loopings avec son cadeau poétique sous le regard de sa fille aînée, aussi fragile qu'un château de sable.

— Elle vient d'Angleterre ? fais-je, haletante.

Charles me la tend. Je m'y accroche comme un naufragé à une bouée de sauvetage. Il me débarrasse du cerf-volant. Mes doigts tremblent.

— Tu ne l'ouvres pas ?

Je secoue la tête, les yeux embués. Il me serre contre lui. Dider sourit, il le préfère au fichu escogriffe.

— Je vais continuer seul, je n'ai plus besoin de toi, dit-il en récupérant le second oiseau.

Nous marchons main dans la main jusqu'à un éperon rocheux qui s'avance au-dessus de l'océan, parsemé de fleurs sauvages et de fientes d'oiseaux. Je m'assieds sur la pierre. Charles se tait.

— Et voilà, dis-je. C'est là-dedans. Trois possibilités. Alessio, Kilian ou Brendan.

— Précisément.

— Il suffit d'ouvrir l'enveloppe.

— Absolument.

Un oiseau tournoie au-dessus de nous, il n'a aucun fil à la patte, l'horizon est son terrain de chasse. Je comprends brusquement que je n'ai pas le droit de lire les résultats sans Livia. Elle est au centre de cette histoire. Je n'en suis qu'un dommage collatéral. Une heureuse conséquence ou une horrible bêtise, suivant le point de vue duquel on se place.

— Je dois repartir pour Rome.

Charles met son bras autour de mes épaules. Comment vais-je supporter de me passer de lui ?

— Je viens avec toi.

Tout est devenu si évident.

Le portable de Dider sonne alors que nous le rejoignons. Il décroche, bloque le téléphone entre sa joue et son épaule, maugrée : « Oui ? » en tirant sur les ficelles de son cerf-volant. Puis il laisse échapper l'oiseau de papier qui pique du nez vers l'herbe.

— J'arrive tout de suite.

Il fait partie de l'équipe des sapeurs-pompiers de l'île. Il soigne, réconforte, il voit naître des bébés, il annonce des nouvelles funestes, il sauve des vies. Il nous confie Oanelle et les goélands-volants, court vers sa voiture.

Île de Groix, Locqueltas, Petite Boîte aux lettres jaune

La timide Petite Boîte aux lettres se tient bien droite à la croisée des chemins, devant le restaurant La Malicette. Elle s'ennuie souvent hors saison, elle a peur qu'on la supprime. Les humains envoient moins de courrier depuis qu'ils jouent avec leurs ordinateurs et leurs téléphones portables. Dans le temps, le village était peuplé à l'année, il y avait une épicerie, les gens sortaient sur la place pour la veillée. À présent, il hiberne, retombe dans le silence en dehors des vacances scolaires. Le magasin a fermé, les voitures passent vite.

Parfois, des touristes à pied ou à vélo s'arrêtent à la hauteur de la Petite Boîte pour déplier leur plan de l'île et comprendre où mène cette voie sans issue. Elle regarde par-dessus leur épaule, espère qu'ils ont une carte ou une lettre à poster, elle leur en serait si reconnaissante. Elle sait que l'Association Saint-Gunthiern, qui débroussaille les fontaines et les lavoirs de l'île, édite un calendrier tous les ans avec de magnifiques photos. La Petite Boîte regrette que personne n'ait l'idée d'éditer un calendrier des boîtes aux lettres de Groix. Elle se verrait bien en couverture, fièrement postée à l'entrée de Locqueltas.

Un Groisillon approche à pied avec son chien, elle le connaît, ce n'est pas un randonneur du dimanche aux gros godillots. Non, il marche comme une évidence, se fond dans le paysage. Au moment où il passe devant elle, sa bouche se tord, sa foulée se ralentit, il vacille. Le chien, sans laisse, le précède en folâtrant. L'homme manque de tomber, s'agrippe des deux mains à la Petite Boîte. Il a du mal à respirer. Il grimace. Tandis qu'il s'écroule à ses pieds comme un sac postal, elle jurerait qu'il sourit.

Le chien revient sur ses pas, tourne autour de son maître, d'abord surpris, ensuite inquiet. Il gratte la musette que son maître porte en bandoulière, renifle son visage. Puis il s'assied, se transforme en sirène de bateau, hurle à la mort sans discontinuer.

Île de Groix, le bourg

Je suis orpheline de naissance, puisque mon père italien est mort avant mon arrivée. Ce matin, j'avais une chance sur trois de le rester. Ce soir, j'ai deux chances sur trois, parce qu'un de mes possibles pères est mort. L'infirmière qui venait voir un patient à Locqueltas a trouvé son corps devant la boîte aux lettres. Elle a pris son pouls, posé l'index et le majeur sur sa carotide et elle a compris.

Je suis navrée, pour lui, pour moi, parce qu'on s'est peut-être ratés à quelques mètres de la ligne d'arrivée, parce qu'il a connu Livia et Viola jeunes.

Quand Dider a annoncé avec ménagement au survivant la disparition du frère à qui il n'adressait plus la parole, il a éclaté en sanglots. Il est venu saluer la dépouille, il a dit qu'il porterait le cercueil, a insisté pour payer l'enterrement et recueillir le chien.

— Une embolie pulmonaire, m'explique Charles, c'est un caillot qui circule dans le sang et qui bouche l'artère pulmonaire ou une de ses branches. J'ai raté le concours de médecine, mais j'ai travaillé un moment en réanimation.

Il s'interrompt et manipule son bracelet de perles noires.

— C'est un patient qui me l'a offert, le jour de ma dernière garde. Il s'appelait M. Bulle, il avait chopé une saloperie en Birmanie. Le type était dans le coma, tout le monde le pensait fichu. Il s'est réveillé lorsque j'ai touché sa main, je te jure ! Il croyait que les grenats éloignent les cauchemars et attirent l'amour. Il avait raison. Je te l'offre.

Il retire le bracelet, le passe autour de mon poignet, resserre le lien coulissant.

L'enveloppe est au chaud dans ma poche, une bombe sur le point d'exploser.

Je reporte mon départ pour Rome, je ne suis plus à quelques jours près. Le recteur de la paroisse n'habite plus dans l'île, il est là pour quarante-huit heures. L'enterrement aura lieu demain. Pourquoi attendre ? Personne ne viendra de la grande terre.

Oanelle regarde ses parents et psalmodie : « *Sodade, sodade, sodade dessa minha terra.* » Dider met le CD de la chanteuse capverdienne Cesaria Evora. Mon oreille ne distingue aucune différence entre les deux interprètes.

— La saudade, c'est le chagrin de l'absence, la

nostalgie, le désir d'ailleurs. Oanelle voit que nous sommes tristes, dit Rozenn.

Le cercueil entre dans l'église par la grande porte. Les bancs sont tous occupés, contrairement au jour de l'enterrement de la mère du défunt.

Le rituel funéraire est le même qu'en Italie. La messe se termine par la communion, puis les fidèles défilent devant le cercueil pour asperger d'un coup de goupillon l'insulaire qui vogue vers l'au-delà.

Au premier rang, son frère a rapetissé de plusieurs centimètres. Il est seul sur son banc, près de l'homme couché dans la boîte foncée. Personne n'a osé s'asseoir près de lui. J'ai pourtant deux chances sur trois d'avoir ma place à ses côtés.

À la fin de la messe, Brendan s'avance vers le pupitre, le pas lourd, ajuste le micro, et regarde l'assemblée.

— Kilian, mon frère. Nous étions fâchés depuis longtemps pour une connerie d'héritage. L'Ankou est venu te chercher, il nous a empêchés de nous réconcilier. Je te demande aujourd'hui pardon publiquement. Tu traces le premier *ar baradoz*, vers le paradis. Tu as sauvé la vie de mon fils. Efflam n'est pas en prison comme certains d'entre vous le croient, il se fait soigner dans une clinique pour son addiction. Il prenait régulièrement de la drogue dans des soirées de petits cons, pardon monsieur le recteur, c'est le mot juste.

Le curé, visage fermé, fait celui qui n'a rien

entendu. Une Groisillonne sourde se penche vers sa voisine : « Tu comprends c'qu'il dit, *co* ? »

— Un soir, il s'est senti mal. Il t'a téléphoné, tu es son parrain. Il t'a dit où il était avant de perdre conscience. Tu as prévenu les secours qui l'ont récupéré *in extremis*. Sans toi, je n'avais plus de fils.

Sa voix se brise, il poursuit :

— Je t'ai été follement reconnaissant, et je t'en ai aussi voulu à mort, parce que c'est moi, son père. C'est moi qu'il aurait dû appeler au secours. C'est moi qui aurais dû le protéger, lui expliquer qu'il risquait sa vie avec ces saloperies, pardon monsieur le recteur, mais c'est le mot approprié.

Le curé lève les yeux au ciel comme Don Camillo dans son village de Brescello.

— Tu as sauvé Efflam. Tu m'as empêché de partir à la baille quand on pêchait, enfants. Tu t'es fait punir à ma place par notre père plus souvent qu'à ton tour. Je me contrefous du droit de passage, de l'aire à battre. Tout ça, c'est des conneries, pardon monsieur le recteur, il n'y a pas d'autre mot. Ne t'inquiète pas, Kilian. Je m'occuperai de ton chien.

— Il n'en fait pas un peu trop ? souffle un fidèle devant moi.

— *Çui-ci* parle avec son cœur, *co*, rétorque sa femme. Toi, tu n'en as pas, tu ne peux pas comprendre !

— Nous allons maintenant nous lever, intervient le curé.

— Pour ceux que ça intéresse, conclut rapidement Brendan, la ravissante jeune blonde qui m'accompagnait n'était pas là pour moi. C'est la fiancée de mon fils, la mère de son futur enfant. Qui naîtra hors mariage, pardon monsieur le recteur, c'est comme ça aujourd'hui. Vous baptiserez quand même mon petit-fils, n'est-ce pas ?

Dépassé, le curé écarte les bras d'un geste large. Ses fidèles, croyant à une injonction, se lèvent comme un seul homme en faisant grincer les vieux bancs.

— On est venus à un enterrement, on nous annonce une naissance, souffle un homme derrière moi.

— Je me disais bien qu'elle était trop jeune pour lui, *nom de toui* ! triomphe son voisin.

— Et encore plus pour toi, *gast* !

Aristote, trouvant que ça suffit, se met à aboyer sur le parvis.

Nonna Ornella m'a raconté que dans certains villages du sud de l'Italie, quand quelqu'un est mourant, les villageois défilent et lui chuchotent à l'oreille des messages pour leurs proches défunts, afin qu'il les leur transmette en arrivant là-haut. Un Colissimo, un Chronopost, une lettre recommandée sans accusé de réception. C'est trop tard pour Kilian, mais dans le doute, je lui demande de dire au jeune homme qui s'est envolé piazza del Popolo à quel point je lui suis reconnaissante. Je ne sais pas si j'ai mérité d'être sa fille. Je sais juste qu'il a été pour moi un merveilleux père.

Le cortège contourne l'église et met le cap sur le cimetière, derrière le cercueil porté par Brendan et ses cousins. Aristote et Shoot suivent, solennels.

Kilian est enseveli. Groix est forcément accrochée au fond de l'océan, sinon elle flotterait en partant à la dérive. A-t-elle un pied, comme un champignon ? Le caillou est-il amarré au fond ? Les insulaires défilent pour serrer la main de Brendan. Quand tout le monde a présenté ses condoléances, il reprend la parole :

— La fiancée de mon fils est partie pour lui annoncer la mort de son parrain. Hier soir, je suis allé chez mon frère chercher le costume qu'il aurait dû porter aujourd'hui. Kilian n'en avait pas, alors on lui a mis sa vareuse et un pantalon de tous les jours. Il n'avait pas de chaussures, seulement des bottes, des sabots de bois et des charentaises. On lui a mis ses sabots, ils dureront plus longtemps, les routes du paradis ont peut-être des ornières, ça lui calera le pas, pardon monsieur le recteur, ils n'ont pas forcément un bon cantonnier, là-haut. Je n'ai pas trouvé ses habits du dimanche, mais j'ai trouvé mieux. Mon frère avait un don incroyable, il peignait l'île à l'aquarelle. Il vous a croqués, tous, à chaque heure du jour. J'en ai parlé au maire, et il est d'accord pour exposer ses œuvres à la médiathèque.

Sur l'aquarelle qu'il brandit, Aristote court le long de l'océan au coucher du soleil. Brendan la lâche au-dessus du trou. La feuille volette, pique du nez comme le cerf-volant de Dider, atterrit sur le cercueil.

— *Kenavo, ar wech'all !* murmure Brendan.

En sortant du cimetière, j'accompagne Perig à sa voiture. Je lui montre l'enveloppe anglaise dans ma poche. Je lui dis que je l'ouvrirai avec ma mère.

— Garde la veste, tu en auras besoin là-bas pour te réchauffer. Tu peux encore choisir de ne pas dissiper tes doutes, Chiara.

— Je me suis battue pour connaître la vérité, je ne vais pas m'arrêter là !

— Tu es seule juge, Sklerijenn.

— Quoi ?

— Chiara, c'est Claire en français ou Sklerijenn en breton.

— Si je suis la fille d'un des frères Tonnerre, ça changera quoi pour vous ?

Il ne répond pas, s'assied pesamment dans sa voiture, ferme la portière, descend la vitre.

— Rien. Ton père, qui qu'il soit, a de la chance.

Île de Groix, le bateau du matin

Rozenn nous accompagne au port sans poser de questions. Elle a cillé lorsque j'ai annoncé mon départ pendant le dîner, hier soir. Elle a précisé qu'il y aurait toujours une chambre pour moi à Port-Lay. Puis Oanelle s'est mise à chanter *I wish I knew how it would feel to be free* en tapant dans ses mains. Elle n'est pas sortie de sa chambre ce matin, elle ne supporte pas les adieux. Elle vit dans le présent, le passé et le futur la paniquent. Dider m'a embrassée, j'ai trouvé ça normal.

Rozenn me serre contre elle.

— Prends soin de toi.

Cette simple phrase me réchauffe autant que la veste de Gurvan.

On monte sur le bateau. Des Groisillons à qui j'ai distribué le courrier me saluent d'un signe de tête discret. Je ne suis plus une *gourzout*. Je navigue dans un *no man's land* entre étrangère et insulaire.

J'emprunte le portable de Charles et je cherche sur Internet la chanson d'Oanelle. La voix déchirante de Nina Simone prend possession du pont supérieur du bateau. « *I wish I could break all the chains holding me.* »

Deux jeunes en sweat à capuche tapent dans leurs mains, une jeune fille en caban esquisse un pas de danse, Charles m'enlace et on tourne, tandis que le bateau vogue vers la grande terre.

Train entre Lorient et Paris Montparnasse

On file vers la capitale, on s'envolera pour Rome demain. Mais avant, Charles a un rendez-vous important. On en a parlé la nuit dernière, après les étreintes et les chavirements.

Il s'est d'abord récrié : « Pas question, jamais ! »

Puis il a réfléchi.

L'enveloppe du labo anglais crisse dans ma poche, du côté gauche, contre mon cœur.

Et contre mon artère pulmonaire, précise Charles.

— Tu en sais, des choses !

— J'ai été médecin, rappelle-toi.

Le passager devant nous, qui empeste la sueur, écoute notre conversation sans gêne.

— Tu t'appelais comment ?

— Louis Lambert.

— Je préfère Gabin Aragon, c'est plus mystérieux.

Ma mémoire photographique tourne les pages jusqu'à un poème français appris à l'école.

— « Mon bel amour, mon cher amour, ma déchirure. »

— « Je te porte dans moi comme un oiseau blessé », enchaîne Charles.

— « Et ceux-là sans savoir nous regardent passer », dis-je.

Le passager odorant ne perd pas une miette de notre conversation.

— Quel est ton vrai nom de famille ?

— Bleu.

— Charles Bleu ?

— Oui.

— Mais tu as les yeux verts.

— Bleus quand il pleut, verts quand il fait beau, à en croire Alice.

— Aragon se trompait. Il y a des amours heureux, dis-je.

Dégoûté par notre bonheur imbécile et mièvre, le passager part offenser les narines d'autres voyageurs. On éclate de rire ensemble alors qu'on a passé notre vie à éclater en larmes séparément.

Nanterre

Vous descendez du RER A à Nanterre-Ville. Tu sonnes à la porte d'un pavillon dénué de charme. Chiara se tient légèrement en retrait. La porte s'ouvre, une femme apparaît, ses lèvres forment un trait rouge qui lui barre le visage, ses yeux en bouton de culotte sont petits et méchants, son corps sec et coriace.

— Oui ? grogne-t-elle.

Elle ne t'a pas vu depuis huit ans. Tu t'es élargi, endurci, elle n'a aucune raison de penser à toi ce soir.

— Paul est là ?

Elle se retourne.

— Paul ?

Un homme arrive, la bouche triste, les cheveux trop longs, le regard de celui qui a abdiqué, les yeux noirs, couleur pain brûlé. Il hausse un sourcil, puis son visage s'éclaire, il rit, il est transfiguré, il ouvre grand ses bras et tu t'y engouffres comme un môme. Vous vous étreignez, il porte toujours la même eau de toilette, mâtinée de farine.

Patty fronce le front et comprend qui tu es. Elle tend un cou de vautour pour te jauger. Tu soutiens son regard. Vos yeux s'entrechoquent, les lames sont acérées et l'acier brille.

— Paul, je te présente Chiara, dis-tu.

Ton frère a la même fossette que toi au milieu du menton. C'est un homme malheureux, il a baissé les bras, il se laisse couler, il ne se bat plus.

— Entrez ! dit-il en vous invitant à le suivre.

Patty le foudroie du regard, il s'en fiche. Il te précède dans un salon sans âme, sans livres, sans fleurs, où l'écran de télévision est plus grand que la table. Paul disparaît, Patty enchaîne les questions comme une mitrailleuse logorrhéique : tu vis où ? Tu fais quoi ? Pourquoi tu n'as pas donné de nouvelles ? Quand je pense au mal que je me suis donné pour toi ! Quelle ingratitude ! Et ce départ où tu nous as foutu en l'air la télé ! Je savais que tu étais fou, mais pas à ce point ! Méfiez-vous, mademoiselle, il ne tourne pas rond, c'est pas d'aujourd'hui !

Tu ne lui réponds pas, tu l'ignores, elle est invisible, tu jubiles, tu jouis de l'instant. Chiara t'imite, ne répond pas à la femme qui s'énerve, postillonne, vous fatigue avec ses reproches. C'est surréaliste, cela dure longtemps, Patty jargonne, éructe. Vous l'ignorez avec constance et détermination.

Paul revient avec des verres et deux bouteilles de champagne Mercier poussiéreuses aux étiquettes défraîchies.

— Je t'avais dit de balancer ces vieilleries, glapit Patty. En plus elles ne sont pas fraîches, ça va être infect !

Oanelle imiterait à merveille sa voix discordante. Paul ouvre une des bouteilles. Le flacon dégage un léger souffle, une inspiration, un discret chuchotement. Ton frère renifle le bouchon, incline délicatement la bouteille et remplit quatre verres.

— C'est un morceau d'histoire, dit-il.

Le vin a une couleur dorée, irisée de nuances vertes et jaunes. Quelques bulles indolentes s'échappent vers la surface, un cordon de mousse apparaît puis s'estompe rapidement. Le champagne prend une teinte ensoleillée, comme si on venait de frotter la lampe d'Aladin.

Patty saisit son verre d'un geste brusque, goûte, fait la moue, le repose.

— Il est éventé, bon à jeter.

Paul lève son verre avec gravité.

— « Pour ne pas sentir l'horrible fardeau du temps qui brise vos épaules », dit-il.

— « Et vous penche vers la terre », poursuis-tu.

— « Il faut vous enivrer sans trêve », termine Chiara.

— Je comprends pourquoi il vous aime, dit Paul à Chiara.

Patty vous dévisage, ahurie. Tu approches ton nez de ton verre, tu humes le parfum du passé. Les premières notes sont discrètes, pudiques, retenues.

Le champagne se révèle d'abord timidement, puis des notes grillées prennent le relais. Tu perçois ensuite des notes sucrées de raisins de Corinthe, d'ananas, de mandarines confites peut-être. Suivies de notes épicées, muscade, poivre blanc, amandes grillées et nougatine. Remplacées au final par des notes de réglisse et de moka. Tu as appris à les distinguer avec Aurore quand elle s'est occupée du lancement du livre d'un célèbre œnologue. Elle vit avec lui maintenant, tu les as vus enlacés en couverture d'un magazine à la Maison de la presse. Elle boit du petit lait et du bon vin. Tu t'en es réjoui pour elle.

— Notre mère disait que Charles et moi sommes des garçons millésimés, elle nous a offert à chacun une bouteille de notre année de naissance, explique Paul à Chiara.

Tu ajoutes :

— Elle prétendait que le champagne était un escalier tournant vers les étoiles. On était censés les boire le jour de nos vingt ans.

— On va goûter la mienne, propose Paul. Mon année de naissance a un grand potentiel de garde, je suis un type qui vaut le coup.

Tu bois une première gorgée. Le champagne est intense et étrange, frais sans acidité. L'attaque est franche, structurée, puis des saveurs chaudes et fruitées prennent le dessus, remplacées par des empreintes de sous-bois, d'humus et de champignon.

— À Alice Bleu, dis-tu.

Paul et Chiara lèvent leurs verres. Patty hausse les épaules. Tu cherches du regard des indices prouvant qu'une ado vit dans la maison.

— Louna-Alice n'est pas là ?

Paul se rembrunit tandis que Patty éructe :

— Elle s'appelle Louna ! Cette gosse ne nous a apporté que des ennuis, elle est en sport-études dans le sud de la France. On n'était pas assez bien pour elle et ça nous coûte une blinde. Bon débarras !

— Nager la rend heureuse, c'est normal qu'on se sacrifie, corrige Paul d'un ton sec. Tu lui rendais la vie impossible, vous vous disputiez tout le temps, elle m'a supplié de la laisser partir. Elle me manque.

— Je pense souvent à elle, dis-tu. Nager permet de supporter l'intolérable, j'en ai fait l'expérience.

— Elle ne sait même pas que tu existes, grogne Patty.

— Je lui envoie régulièrement des cartes postales, expliques-tu à Paul en ignorant ta belle-sœur. C'est ma façon d'être présent de loin.

— Je les ai toutes jetées à la poubelle avant qu'elle les lise, ricane Patty.

Tu serres les poings et tes mâchoires se crispent. Tu ne feras pas à Patty le plaisir de réagir. Elle n'existe pas, elle est transparente, elle n'est rien, une petite merde, une vipère insignifiante et pathétique qui a perdu son venin.

— Tu n'avais pas le droit de faire ça, rugit Paul, indigné. Elle sait très bien que Charles est mon frère, je lui parle souvent de nous.

Ce « nous » qui t'englobe avec Alice en excluant Patty la met en rage.

— C'est ma fille, elle m'appartient !

Tu demandes à ton frère :

— Tu as reçu mes cartes d'anniversaire chaque 14 décembre, à la boulangerie ?

— Et j'ai pensé à toi chaque 9 avril.

— Paul n'est pas né en décembre ! s'énerve Patty.

Tu regardes Chiara.

— Eugène Grindel dit Paul Éluard est né le 14 décembre 1895.

— Charles Baudelaire est né le 9 avril 1821, ajoute Paul.

— Tu pues des pieds, mon vieux.

— Tu pues du bec, mon pote.

Tu n'écoutes pas Patty, tu la gommes, tu l'effaces, tu la nies. Vos trois verres sont vides, tu les remplis. Ton frère, ton amoureuse et toi videz lentement la bouteille. Les notes blondes et sucrées s'opposent aux saveurs sombres de réglisse et de moka. Ce n'est plus du champagne pétillant, c'est devenu un vin noble qui vous a fait vivre ensemble un moment rare. L'émotion éphémère de l'ultime gorgée demeure, alors que les notes de tabac blond, de miel et de cire se sont évanouies. Tu regardes ta montre. Tu te lèves.

— On y va.

— Déjà ? regrette Paul.

Tu plonges ton regard bleu-vert dans le sien. La météo est versatile dans le pavillon de Patty.

— Viens avec nous. Rien ne te retient ici.

— Ton frère est dingue, ne l'écoute pas ! braille Patty.

— Ne me dis pas que tu es heureux ? insistes-tu en fixant intensément Paul.

Tu crois une seconde qu'il va laisser tomber ses chaînes et vous suivre. Il fait un pas vers toi. Patty gémit comme un chien abandonné. Paul s'immobilise. Le moment de grâce est passé.

— Louna-Alice est mineure, je ne peux pas la laisser seule avec sa mère, elle la démolirait, répond-il avec une infinie tristesse. Je suis forcé de rester jusqu'à sa majorité.

— Elle s'appelle Louna, et tu m'es redevable, hurle Patty, défigurée par la colère. Je vous ai recueillis, j'ai supporté ton frère débile, je t'ai trouvé un travail, vous étiez à la rue, deux paumés, élevés par une foldingue.

Tu te retiens pour ne pas la clouer au mur par des mots mordants et tranchants. Elle vient d'insulter Alice, c'est impardonnable. Paul se tourne vers elle, cinglant.

— Ne t'avise plus de mentionner ma mère !

Sinon je pars à la seconde. Je reste avec toi par pitié, par amour pour notre fille, je paye ma dette. Et la facture est lourde.

Il te tend la bouteille de ton année de naissance, te repousse.

— Barrez-vous avant que je change d'avis.

— Tu es certain ?

Il hoche la tête. Tu prends la main de Chiara et tu t'éloignes.

Chatou

Vous vous appelez Charles et Chiara. Vous descendez du RER A à Chatou-Croissy. Vous marchez dans la ville endormie. Vous passez devant le traiteur italien Iaconi, Chiara lit *Amore per il gusto* sur la devanture, ça vous donne faim. Vous traversez la place Maurice-Berteaux où le marché est déjà installé. Demain matin, ce sera noir de monde. Ton cœur bat fort, jusqu'au bout de tes doigts entrelacés aux siens. Tu t'arrêtes devant une petite maison le long de la Seine. Une fenêtre est allumée à l'étage, un adolescent se penche sur un livre, crayon en main, casque audio sur la tête. Tu dis :

— C'était ma chambre.

— Il a l'air heureux, murmure Chiara.

— C'est une maison porte-bonheur, elle n'est pas responsable de ce qui est arrivé à Alice.

Chiara raconte l'appartement sinistre dans lequel elle a grandi à Rome, meubles noirs, murs gris. Une nuit, pendant que sa mère dormait, elle a repeint sa chambre de petite fille en vert pomme. Elle avait préparé son coup, caché peinture et pinceaux dans son cartable, dépensé ses économies dans leur achat. Livia a poussé un cri en entrant et l'a secouée d'importance. Piètre victoire, mais Chiara était ravie du résultat : elle avait mis des couleurs dans sa vie et sa mère l'avait touchée. Elle avait gagné, triomphé du décor écrasant et funèbre. Alessio, qui l'y avait encouragée, l'avait félicitée.

— Ta chambre a l'air jaune, dit Chiara en plissant les yeux pour mieux voir dans l'obscurité.

— De mon temps, elle était bleue.

L'adolescent inconnu passe une main dans ses cheveux et regarde la nuit à travers la fenêtre. Il s'approche de la vitre, y appuie son front. Sourit-il ? Pleure-t-il ? Rêve-t-il ? Il ne peut pas vous voir. Tu ignores qui est ce garçon, pourquoi il travaille tard. Tu es un étranger dans la maison de ton enfance. Tu n'as plus rien à faire ici. Toi et ton amoureuse rebroussez chemin.

— On rentre à Paris ? suppose Chiara.

— On a encore une chose importante à faire.

— Quoi ?

— Régler un compte avec un rat gluant.

Elle s'affole.

— Un rat ?

— Une vieille connaissance. Maman l'appelait comme ça.

Elle te regarde en penchant la tête. Tu la rassures d'un baiser léger sur le bout du nez. Lorsque tu penses à elle, les battements de ton cœur s'accélèrent, tu l'as vérifié en prenant ton pouls.

Quand tu travaillais à l'hôpital, tu as appris que le cœur se contracte pour faire circuler le sang dans le corps. S'il bat très fort, il chasse le sang plus vite dans les vaisseaux et il apporte plus d'oxygène aux muscles.

Songer à Chiara te coupe le souffle, tu manques d'oxygène à l'idée qu'elle s'en aille. Ton cœur le comprend et cavale en conséquence.

Le Vésinet

Tu marches plus vite que d'habitude, Chiara peine à te suivre. Tu la tiens toujours par la main. Vous arrivez dans une rue où de belles demeures trônent au milieu de grands jardins. L'une d'elles jure avec le décor. C'est un rectangle trapu, de plain-pied, sans charme. Tu trouves qu'elle ressemble à une boîte à chaussures.

— Ça ne m'étonne pas qu'il vive là, grommelles-tu.

— Qui ça ?

— Le rat. Il va avoir une chouette surprise en se réveillant.

Tu sors de ton sac à dos quatre bombes de peinture noire.

— Du haut de gamme, 100 % acrylique, ultra-résistante, intérieur et extérieur, conseillée pour décorer et customiser.

— Tu m'inquiètes. On va faire quoi ?

— Veiller sur le sommeil d'un type. Lui permettre de faire de beaux rêves et de ne pas être dérangé par le soleil.

Tu vérifies à droite et à gauche, personne. Hop, tu escalades prestement le portail et disparais de l'autre côté. Chiara reste pétrifiée.

— Tu viens ? souffles-tu.

— Non, tu es fou ! C'est une violation de domicile. Je suis étrangère, je ne veux pas me retrouver dans une prison française !

— Tu trembles, carcasse ? Pas de souci, je me débrouillerai seul.

Elle hésite, imagine la tête de sa mère si la police française la pinçait pour une violation de domicile. La situation la terrifie, mais l'idée la réjouit.

— J'arrive !

Le portail n'est pas haut, elle passe par-dessus facilement. Vous avancez dans l'allée gravillonnée.

— Et s'il y a un chien ? Une alarme ? Des caméras ? Des projecteurs qui détectent les mouvements ? Et si le propriétaire est armé ? S'il nous tire dessus ?

— On mourra la fleur au fusil, avec les honneurs !

Tu te penches vers elle dans l'obscurité, tu poses doucement tes lèvres contre les siennes. Vous oubliez les dangers qui vous menacent. Vous vous embrassez au clair de lune. Vos souffles se mêlent, vos corps se tendent. Puis vous vous arrachez l'un à l'autre à regret.

— Viens, dis-tu en entremêlant vos doigts.

Vous marchez vers la boîte à chaussures, plongée dans l'obscurité. Une grosse berline en forme de scarabée dort devant la maison. Aucun chien d'attaque ne rôde. Un oiseau vous frôle. Chiara te souffle :

— Pourquoi cette hirondelle vole si bas dans la nuit ?

— C'est une chauve-souris.

Elle frémit. Tu t'empresses de changer de sujet :

— On va plonger ce rat gluant dans le vide intersidéral. Il a une peur panique du noir. Ça va le calmer.

— Comment ça ?

— Il va se réveiller dans le noir total. Il se croira en plein cauchemar. Puis il se rendra compte qu'il aurait préféré que ce soit un cauchemar, dis-tu en extirpant de ta poche des petits tubes bleus.

— C'est quoi ? s'inquiète Chiara. Du poison ? Un hallucinogène ?

— De la Super Glue.

En rentrant à Paris tout à l'heure, tu emmèneras Chiara, sans la prévenir, voir briller la tour Eiffel. Vous y arriverez juste avant 1 heure du matin, au moment magique où elle scintille pendant dix minutes. Tu l'embrasseras, puis tu diras : « C'est pour toi. »

Le Vésinet

Le marchand de sommeil se réveille, vérifie que ses bijoux de famille sont bien à leur place, s'étire, hume son odeur de fauve. Il déteste les déodorants, un mec est un mec, il affirme sa virilité en marquant son territoire olfactif. Il emmerde ceux que ça gêne. Il emmerde même ses voisins bien-pensants qui lui disent bonjour. Il ne veut pas qu'on le salue, mais qu'on le craigne. Aujourd'hui, il a du pain sur la planche. Augmenter le loyer de la veuve qui reste seule avec son fils dans la maison de Chatou. Résilier le bail d'une petite vieille à Montesson. Caser encore plus de sans-papiers dans les immeubles pourris qu'il possède le long du périphérique. La vie est comme un Monopoly, on gagne à coups d'hôtel et de maison en mettant les autres joueurs sur la paille.

Il lève la tête vers le plafond où son réveil digital projette l'heure et la température, il ne supporterait pas de dormir dans le noir total. Il actionne, depuis son lit, la télécommande des volets électriques.

Il entend le bruit rassurant du volet qui s'enroule, mais dehors la nuit est d'encre. Surpris, pas encore inquiet, il ouvre le second rideau. Il ne voit ni le soleil, ni les arbres du jardin, ni le réverbère familier de l'autre côté de la rue. Il se lève, aussi nu qu'un ver, passe dans la pièce à côté, actionne le volet électrique. Le noir est absolu, menaçant. Il déteste ça, il en devient fou.

Ses mains tremblent, sa respiration se fait haletante. Il n'a même pas l'idée d'allumer la lumière, ce qui paraît pourtant évident. Son premier réflexe est de s'échapper. Il court instinctivement à la porte d'entrée, attrape la clef, l'enfonce dans la serrure. Elle ne rentre pas, ça résiste. Son front se couvre de sueur. Il se penche pour regarder par le trou, la serrure est bouchée.

Il se précipite dans la cuisine, renouvelle l'opération, se heurte au même phénomène. Que se passe-t-il ? Sa vision se trouble. Il se pince pour vérifier qu'il ne rêve pas. Il est prisonnier, enfermé dans le noir. Comme dans l'enfance, quand son père, pour le punir, l'enfermait dans des toilettes exiguës dont la lumière s'allumait de l'extérieur. Recroquevillé par terre, paralysé, il se croyait dans un cercueil et restait là, pétrifié, jusqu'au moment où son bourreau le libérait. Sa mère craignait trop son mari pour s'y opposer.

Il résiste à la tentation de se coucher sur le sol en chien de fusil. Il ne peut pas sortir, les portes sont coincées. Le jour ne s'est pas levé, le président d'un pays possédant la bombe atomique a peut-être appuyé sur le bouton. Et si c'était la fin du monde ? Il va mourir, seul, desséché, momifié, dans une tombe de 400 mètres carrés.

Sa mère est morte, il n'est même pas allé à l'enterrement. Son père végète dans une maison de retraite miteuse, où il va le voir pour le plaisir sadique de rouler son fauteuil dans les toilettes et de l'y enfermer. Le vieux dodeline de la tête, ne lui donne même pas la satisfaction d'avoir peur, s'endort, indifférent, la bouche de travers, un filet de salive coulant sur ses vêtements. Il l'y laisse tout l'après-midi, repart avec l'amer sentiment d'une punition loupée.

Le marchand de sommeil n'ouvre pas le réfrigérateur pour éclairer, n'utilise pas l'application lampe torche de son téléphone portable, ses neurones ne le lui suggèrent pas. Il hurle dans sa tête, hébété, séquestré chez lui.

Au milieu de sa panique, il se rend compte soudain qu'il lui suffit d'ouvrir une des baies vitrées pour se libérer. Il préfère crever dehors, sous les étoiles, plutôt que dans un local clos.

Il se rue dans le salon, tente d'ouvrir la fenêtre, mais elle résiste. Il ne les ouvre jamais, à tel point qu'il en a oublié comment débloquer le loquet. À bout de souffle, il attrape un club de golf dans son sac flambant neuf, un driver haut de gamme, il se met en position, imagine la balle sur son tee au départ du trou, et il joue le coup le plus crucial de sa vie.

La balle invisible ne part pas, mais à la fin du mouvement fluide, le club rencontre la vitre et l'homme se disloque l'épaule droite. La vitre n'est pas brisée, juste fendillée, c'est du verre antieffraction, les voleurs jouent rarement au golf pour cambrioler.

Une idée lui vient à l'esprit : le Velux de la salle de bains. Il s'y précipite, l'épaule morte, le bras pendant le long de son corps. C'est la nuit dehors, ici aussi. Partout, le jour est mort. L'homme affolé parvient à ouvrir le Velux de sa main gauche, il le fait basculer, monte sur les toilettes, émerge à l'extérieur avec le haut du corps. Et sa terreur reflue. Et il éclate d'un rire sauvage, malgré la douleur, parce que le jour s'est levé. Aucune bombe atomique n'a explosé. La nuit a disparu, emportant son cortège d'épouvante.

Il n'a pas la force de se hisser à l'extérieur avec un seul bras, mais il hurle son soulagement à la lumière bienfaisante, à un monsieur qui promène son chien, à une passante qui sursaute.

De sa main valide, il gratte la substance noire qui occulte le Velux du côté extérieur. Des morceaux s'enfilent sous ses ongles. Il les renifle, les goûte du bout de la langue. De la peinture noire. On a bombé ses fenêtres à la peinture noire.

Il fait le lien avec ses serrures bouchées. Un salopard a occulté les ouvertures de sa maison. Il n'a aucun ami, que des ennemis, le choix est vaste.

Il beugle :

— Je te ferai passer l'envie de m'emmerder ! Je t'exploserai la tronche, je te bousillerai la paillasse, je t'arracherai les yeux, tu regretteras le jour où tu es né !

Un homme qui emmène son petit garçon à l'école aperçoit son voisin, émergeant de son affreux toit plat, nu, hurlant des insanités. Il bouche les oreilles de son fils, tente de lui couvrir les yeux et appelle la police.

Un quart d'heure plus tard, les flics sont là. L'homme n'a pas bougé, il est encore sur le toit, et éructe, hors de lui. Les flics grimpent, maîtrisent l'exhibitionniste, le font sortir de force, l'enroulent dans une couverture et appellent un médecin de garde pour venir le calmer à la seringue.

Ce pervers a pété un câble, il a bombé toutes ses fenêtres à la peinture noire, il est à enfermer !

Paris, Montmartre

Il n'y a plus de bombes de peinture dans le sac à dos de Charles, seulement la bouteille de champagne de son année de naissance, soigneusement enveloppée dans un pull gris. Après avoir admiré les lumières de la tour Eiffel, on a dormi dans un petit hôtel à Montmartre, près du café d'Amélie Poulain. Quand je fais l'amour avec Charles, j'ai le même sentiment de liberté qu'en filant sur Pégase, pendant la tournée de Locmaria : c'est harmonieux, submergeant, intense. L'amour avec lui est jeu et partage, retrouvailles et joie, complicité et surprises, aventure et chamboulements.

Urielle nous a invités à petit-déjeuner avec les korrigans. On achète douze mini-croissants et douze mini-pains au chocolat. Elle habite un appartement au sixième étage sans ascenseur, très lumineux, réunion de plusieurs chambres de bonnes, avenue Trudaine.

— Le Sacré-Cœur est mon amer dans la marée

de toits, dit-elle. Amer au sens marin, un repère sur la terre, visible depuis la mer, pour s'orienter.

Je la suis dans la cuisine pendant que Charles joue avec les monstres.

— Tu as repris le métro ?

— J'ai essayé, mais je me suis sentie oppressée. J'ai eu l'impression qu'un menhir m'écrasait la poitrine et je suis ressortie aussitôt. Quand j'ai voulu me rabattre sur les Vélib, j'ai failli me faire renverser par un bus. Maintenant, je marche le long de la Seine. Je mets plus de temps pour aller au travail, mais au moins, je respire.

— Tu tiendras le coup ?

Elle soupire.

— Ils ne renouvelleront pas mon CDD, j'ai été trop souvent arrêtée. Dès qu'un des jumeaux chope un truc, l'autre enquille avec une semaine de décalage. Résultat, je manque deux fois plus que les autres mamans. Mon patron m'a dit en rigolant : « Sans vos charmants boulets, vous seriez parfaite pour le job ! »

Elle secoue la tête avec rage.

— Mes charmants boulets mangent comme quatre, ils ont besoin de vêtements, de médicaments, de chauffage, d'électricité. Ils ont besoin d'un père aussi. Il leur envoie des mails du Népal, des photos sublimes dont ils se contrefichent. Il écrit qu'il leur rapportera des cadeaux. Parfois, quand ils entendent du bruit dans la cage d'escalier, ils courent l'attendre devant la porte. Ça me fend le cœur.

— Ils sont heureux, ce qui n'est pas ton cas.

— Je ne peux pas avouer que je me suis trompée. Je perdrais la face.

— Et alors ?

— J'aurais trop honte.

— Tu préfères être fière et malheureuse ?

— Ohé, les filles, vous avez besoin de l'aide de trois hommes serviables ? crie Charles depuis le salon.

— Ohé, les filles ! répètent Nolan et Evan à l'unisson.

On les rejoint. Les korrigans affamés se jettent sur les viennoiseries.

— C'est agréable, cet océan de cheminées, dit Charles. Mais moins que la vue de tes parents à Port-Lay. Tu préfères le monoxyde de carbone à la beauté de la Bretagne ?

— J'ai eu envie de liberté. Vingt ans enfermée dans une île, je me sentais en prison.

— Je te comprends, approuve Charles. C'est vrai qu'ici, tu es cool et décontractée. Ce n'est pas comme si tu cavalais entre la maternelle, ton bureau, les courses, la baby-sitter et ton nid d'aigle.

— Au moins, le week-end, tu profites de Paris, dis-je, volant au secours d'Urielle.

Elle secoue tristement la tête.

— La Ville Lumière m'ouvre ses bras, avec ses

musées, ses ateliers pour enfants, ses spectacles. J'irais, si je n'étais pas épuisée, si mes poulpiquets me laissaient dormir, si mon frigo se remplissait par magie, si mon aspirateur faisait le ménage sans moi, si je n'étais pas une mère aussi nulle.

Elle regarde avec amour les farfadets essuyer leurs mains chocolatées sur le divan.

— Donnez-moi des nouvelles de Groix. Vous avez trouvé ce que vous cherchiez ?

On échange un regard.

— Il faut que je te dise, je ne m'appelle pas Gabin.

Les jumeaux gloussent, ravis de ce nouveau jeu.

— Je m'appelle Charles. Comme *Charlie et la Chocolaterie.* Comme Aznavour ou le prince de Galles.

Urielle hausse les sourcils.

— Et je ne suis ni écrivain ni corse, c'était un personnage.

— Tu es acteur ? demande-t-elle, cherchant une explication logique.

— Non, je suis menteur.

Je pose ma main sur la sienne.

— Vous êtes ensemble, je m'en doutais, se réjouit Urielle. Et toi, Chiara ? Tu t'appelles comment, en vrai ? Vous nous avez bernés, vous étiez déjà en couple sur le bateau ?

Je la détrompe.

— Je t'ai dit la vérité.

— Perig t'a aidée ?

J'acquiesce.

— Vous n'avez plus besoin de Groix, alors ? Vous avez pris ce qu'il vous fallait et vous vous défilez ?

Sa voix se fait agressive. Les jumeaux, indifférents, se disputent le dernier mini-croissant en pouffant de rire.

— C'est toujours comme ça, avec les touristes. Ils débarquent, s'extasient, se réchauffent au soleil de l'été, applaudissent les chemins sans feux rouges, se remplissent les yeux des crépuscules et des vagues furibondes. Puis, ils reprennent le bateau et nous abandonnent pour l'hiver, sans rien offrir en échange.

— Pégase m'a dit que j'étais liée au caillou, dis-je doucement.

— Pégase ?

— Le vélo de la poste.

Les jumeaux, intrigués, tendent le cou pour entendre la suite.

— On n'abandonne personne, affirme Charles. Chiara a un rendez-vous à Rome.

— Et après, vous rentrez à Groix ?

Je regarde Charles. On n'a jamais abordé le sujet. Urielle a dit « rentrer », comme rentrer à la maison. Où est ma place ? Rien ne m'oblige à retourner en Italie. Urielle a quitté l'île pour être libre, j'ai dû y aborder pour le devenir.

— Chiara a fini son remplacement, elle doit

encore donner une lettre en mains propres à sa mère. On avisera ensuite. Tu peux me rendre un service ? demande Charles en sortant le champagne de son sac à dos. Garde cette bouteille jusqu'à mon retour. Je ne peux pas l'emporter dans l'avion.

— Je vais en prendre soin, promet Urielle.

Les jumeaux se chamaillent. Ils se sont goinfrés de viennoiseries, ils vont être malades.

— Tu n'as pas une tête de Charles, remarque Urielle.

— Ah non ?

« Gabin comme l'acteur » cache son visage dans ses paumes, puis les écarte. Il n'est plus le même. Son regard a changé. Son corps aussi, étrangement. Sa silhouette, son port de tête, son attitude se sont modifiés. Il dit, d'une voix différente :

— Je m'appelle Louis, comme Aragon. Je suis étudiant en médecine. Je vais vous aspirer, ce n'est pas agréable, je sais, mais on va faire ça doucement, ensemble, d'accord ?

Il inspire la confiance, c'est un professionnel, un soignant. Et en même temps, c'est mon amoureux.

— Impressionnant, souffle Urielle.

Il enfouit de nouveau son visage derrière ses mains, puis réapparaît. L'étudiant en médecine a disparu, remplacé par un jeune inconnu fragile et attachant.

— Je m'appelle Charles comme Baudelaire. Je

suis le fils d'Alice et le frère de Paul. J'habite dans les Yvelines. Plus tard, je serai écrivain.

Il masque une troisième fois ses traits, grandit à vue d'œil, s'épaissit, s'étoffe, devient celui que je connais.

— Je m'appelle Charles Bleu. Je suis amoureux de Chiara. J'ai caboté le long des côtes en la cherchant. Je jette l'ancre et l'encre avec elle.

Urielle sourit.

— Je m'appelle Urielle Tonnerre, murmure-t-elle. Je suis la maman des korrigans, la sœur d'Oanelle. Mon cœur s'est emmêlé dans les filets de mon ex. Je suis groisillonne. J'ai essayé de vivre à Paris, mais je ne suis pas faite pour son parfum, sa vitesse, sa violence. Je suis réglée sur un autre rythme, profond, intense, maritime.

— Je m'appelle Chiara, dis-je. Je suis la fille de Livia et d'un homme dont le nom est peut-être inscrit dans une enveloppe, dans ma poche. Je suis amoureuse de Charles Bleu.

Nolan penche la tête en entendant « amoureuse ». Il hésite à rire, croise mon regard. Alors il fait ce geste étrange pour un si petit garçon, il s'approche, caresse ma joue tout doucement avec sa main poisseuse. Son père caressait-il sa mère ainsi, avant de partir au Népal ? Puis il court rejoindre son frère.

Île d'Elbe, Toscane,
vingt-six ans plus tôt

Livia s'en veut d'être venue, mais Viola a tant insisté qu'elle a fini par céder. Elle a cessé de se battre, elle est trop épuisée pour résister. Elle ne mange presque plus depuis la mort d'Alessio, il y a trois semaines. Ses parents, qui étaient montés à Rome pour son mariage, sont revenus pour l'enterrement de leur gendre, avant de repartir aussitôt pour la Basilicate, au sud de l'Italie, entre les Pouilles et la Calabre. Ils voulaient la ramener avec eux, mais elle a refusé. À vrai dire, ils n'ont jamais été proches. Ornella, la mère d'Alessio, est anéantie et prostrée. Livia ne boit plus, son dernier verre de prosecco remonte à la veille de l'accident, lorsqu'elle et Alessio sont allés au cinéma Barberini. Pour le reste de sa vie, elle détestera les acteurs du film qui se jouait, ce jour-là. Comme elle en voudra au délicieux café qu'elle buvait chez Rosati, quand Alessio a traversé pour la rejoindre.

Le conducteur de la Vespa s'en est tiré avec trois égratignures, c'est injuste. Elle connaît son nom, elle l'a lu sur le rapport de police. Elle est allée l'attendre en bas de chez lui, en voiture, pendant dix jours. Une nuit, alors qu'il sortait à pied, elle a eu envie d'appuyer sur l'accélérateur et de venger la mort de son mari. Elle a imaginé le sang rouge de l'inconnu sur la pierre jaune du palazzo, son corps désarticulé, sa femme en pleurs à ses côtés, appelant à l'aide. Livia en a rêvé, mais elle n'en a pas eu le courage. Par lâcheté, peut-être. La nuit suivante, elle a craqué une allumette et l'a balancée sur la Vespa meurtrière qu'il venait de rapporter du garage. L'engin s'est embrasé en quelques secondes. Il a explosé, le réservoir était plein. Des gens sont sortis de l'immeuble, criant, s'affolant, s'invectivant. Livia est restée immobile derrière son volant, savourant la scène, jusqu'à l'arrivée des *vigili del fuoco*, des pompiers. Elle est rentrée chez elle avec le sentiment du devoir accompli. Morte la bête, mort le venin.

Livia se reproche d'avoir accompagné Viola à cette fête, ce n'est pas la place d'une veuve. Elle a enfilé les premiers vêtements, noirs forcément, qui lui sont tombés sous la main. Elle n'a ni soif ni faim, juste envie de rejoindre son amour qui lui a été arraché. Elle suit son amie d'enfance dans la maison illuminée où les gens dansent, inconscients de son drame. Et brusquement, elle l'aperçoit !

C'est comme si son corps tout entier se réveillait d'un long cauchemar. Son alliance ne lui brûle plus la peau, elle étincelle, avec leurs initiales gravées à l'intérieur.

Livia reconnaît sa silhouette élégante et souple, sa large carrure, sa démarche nonchalante, son port de tête, ses cheveux. Elle retrouve le parfum familier de l'eau de toilette qu'aucun autre garçon de leur âge ne porte. C'était celle de son père, il l'a adoptée pour faire plaisir à sa mère Ornella, quand le cancer lui a arraché son mari.

Ces effluves familiers la font frémir. C'est comme si Alessio était là, devant elle. Ses mains se tendent vers lui, sa peau appelle la sienne, son corps en tremble.

Elle rit tout haut, c'était un mauvais rêve. Ils vont s'étreindre, chavirer, rouler, ils viennent de se marier. Il faut gommer le mal, effacer cette hallucination atroce, elle ne lui racontera pas qu'elle l'a cru mort, il en serait bouleversé, elle va oublier, interdire à son cerveau de se souvenir. Alessio est vivant. Il n'est pas allongé dans l'horrible boîte aux poignées dorées, au cimetière de Verano. Elle n'est pas veuve. Ils ont toute la vie devant eux. Elle entrouvre la bouche pour crier sa joie, pour exhaler le chagrin. Au moment où elle va prononcer son nom, il se retourne.

Le choc est si violent qu'elle vacille, terrassée. Elle ne connaît pas cet homme. Il a la même silhouette dégingandée, la même chevelure, la même posture, le même parfum qu'Alessio. Mais ses yeux sont d'un bleu plus clair. Son nez est plus busqué. Sa bouche est moins charnue. C'est un inconnu. Elle a le sentiment que le ciel lui tombe sur la tête. Ce n'était pas un cauchemar, elle n'a pas rêvé, son mari est mort pour l'éternité, et elle est veuve, irrémédiablement.

Tel un somnambule, elle marche péniblement vers le buffet. Elle vide trois verres de limoncello coup sur coup, alors qu'elle n'a rien mangé depuis des jours. Ça lui brûle l'œsophage, ça lui fouette le sang, ça lui donne le vertige. Elle s'adosse contre le mur pour ne pas s'effondrer au milieu de la fête. Et puis elle lâche prise, flageole, s'abandonne au trou noir qui l'engloutit…

— Ça ne va pas, mademoiselle ? Eh là, ho ? *Tutto bene ? Signorina ?*

Une poigne de fer la retient au bord du gouffre. L'inconnu qui ressemble tant à Alessio la soutient jusqu'à une chaise libre. Elle respire son parfum, ferme les yeux.

— Vous avez failli tomber. Vous m'entendez ?

Elle ne répond pas. Il n'a pas la même voix que son mari, l'illusion se dissipe. Maintenant elle voudrait qu'il s'en aille, qu'il cesse de l'importuner, de lui rappeler qu'Alessio ne reviendra pas. Elle rouvre les yeux.

— Ça va, balbutie-t-elle sèchement. Laissez-moi.

— Il faut manger quelque chose. Vous avez bu trop vite. C'est traître, le limoncello.

— Fichez-moi la paix.

L'étranger s'éloigne. Elle respire mieux. Il lui tourne le dos. Elle cherche Viola, en vain. Elle veut retourner à Rome.

— Tenez, vous avez le choix !

L'homme est revenu avec une assiette de *crostini* au foie de volaille et au *lardo di Colonnata*. Elle tend la main à contrecœur, en mange un, puis deux, puis trois, en silence. Juste pour qu'il reste ainsi penché sur elle. Elle lui en veut, il lui inflige la torture de sa ressemblance avec le disparu. Mais elle ne peut s'empêcher de le dévorer des yeux. Elle oublie les iris moins sombres, le nez plus grand, la bouche plus mince.

Soudain, alors qu'elle va lui dire de débarrasser le plancher, on passe le disque du vainqueur de l'année au festival de San Remo, Riccardo Cocciante. Son cœur tombe en morceaux. *Se stiamo insieme*, si nous sommes ensemble. Elle pose la main sur le bras de l'étranger, elle se lève, l'entraîne vers la piste de danse. Il l'enlace. Ils tournent, serrés l'un contre l'autre. La dernière phrase l'écrase : « *Mi manchi sai* – tu me manques, tu sais ? »

Elle s'immobilise, telle une marionnette dont on vient de couper les ficelles. Il lui sourit. Elle enfouit son visage dans le cou de son jeune mari. Elle se serre contre lui. Elle lui prend la main et elle l'entraîne.

Il n’est pas habitué à cela, sur son île bretonne les femmes ne sont pas si rapides, mais elle est tellement belle. Il veut lui parler. Elle le fait taire d’un baiser. Il rit, heureux. Livia sourit, apaisée. Ils s’étreignent. Ils gomment le reste du monde. Les draps sentent la lavande.

Rome, vingt-six ans plus tôt
et quinze jours plus tard

Viola descend l'escalier de son immeuble, légère. Elle glisse la clef dans la serrure, soulève le rabat de la boîte qui ne contient généralement que des factures. Son cœur tressaute encore quand il y en a une au nom de son père, ce lâche qui a préféré s'exploser la cervelle plutôt que de la voir grandir. Elle espère une lettre du Français qu'elle a rencontré à l'île d'Elbe il y a deux semaines. Ils ont dansé ensemble toute la nuit. Ils sont de la même eau, de ceux qu'on ne remarque pas, qui passent inaperçus, ni assez beaux ni assez laids pour marquer les esprits. Des neutres, des perdants, des ternes. Elle lui a donné son adresse, il a eu d'abord l'air surpris de son audace, puis a glissé le papier dans la poche de son jean.

Enfant, elle s'imaginait naïvement que Livia et elle avaient les mêmes chances de bonheur. Elle a vite déchanté. Lorsqu'elle a rencontré Alessio, elle est tombée tout de suite amoureuse de lui. Mais cet imbécile n'avait d'yeux que pour Livia. Viola en a déduit qu'à l'avenir, elle devrait choisir un garçon moins beau, moins séduisant, à sa mesure.

L'autre soir, à l'île d'Elbe, elle a donc jeté son dévolu sur ce camarade de misère, un grisâtre, comme elle. Il va lui écrire, l'inviter dans son île en France. Elle se voit déjà quitter Rome et sa mère, laisser Livia et son deuil loin derrière elle et danser sa vie en Bretagne avec son marin pêcheur.

Radieuse, elle tend la main vers l'enveloppe postée de France. Elle la décachette, se coupe l'index sur le bord acéré du papier, suce la goutte de sang rouge qui perle au bout de son doigt. Elle aime tout de suite l'écriture penchée vers la droite. Elle ne parle pas français, il ne parle pas italien. Ils ont tournoyé ensemble jusqu'au matin, il danse comme un dieu celte, elle aussi est douée, c'est d'ailleurs la seule chose qu'elle fait mieux que Livia.

Viola glisse la lettre dans sa poche et marche jusqu'au coin de la rue, pour ne pas que sa mère puisse l'épier par la fenêtre. Elle s'adosse à un arbre. Elle soupire de bonheur en lisant les premiers mots, *Dear Viola*. Puis son estomac se tord et une bile amère remonte dans sa gorge.

La lettre n'est pas de lui. La lettre n'est pas pour elle. Une fois de plus, sa meilleure amie l'a coiffée au poteau. Elle pousse un cri de rage et de frustration.

Dear Viola, I am the French guy you and your

friend Livia met recently on the island of Elbe, in Tuscany. I don't have the address nor the full name of Livia. Can you help me, please? Give this letter to Livia, with my address and my phone number, so that she can call me? Thanks a lot. Take care. Kind regards.

Elle ne regarde même pas la signature, froisse la lettre dans sa main en hoquetant de fureur. Son anglais est rudimentaire, mais elle a compris l'essentiel : l'homme qui a écrit cette lettre est celui qui a passé la nuit avec Livia, et il cherche à la revoir.

À cet instant, elle sait que son Français ne lui écrira jamais. Que les hommes aux yeux clairs regarderont toujours Livia. Qu'elle, Viola, est maudite, vouée au célibat, à la solitude, aux amants de passage, aux maris des autres. Qu'elle n'aura pas d'enfants. Qu'elle sera toujours la seconde.

Elle jette la lettre dans une poubelle. Elle en recevra trois, échelonnées. Elles prendront le même chemin. Il croira que Livia ne veut pas le revoir.

Ce qui blesse le plus Viola, c'est de savoir que son cavalier n'a pas perdu son adresse. Il a choisi sciemment de ne pas lui écrire.

Île de Groix, vingt-six ans plus tôt et trois mois plus tard

Il referme la boîte aux lettres vide sous le regard goguenard de son frère. L'Italienne pâle vêtue de noir ne lui répondra plus. Il doit se résigner à l'oublier.

Leur père les a envoyés pêcher en Italie six mois pour les endurcir. Son frère et lui viennent de rentrer en Bretagne. Il a eu du mal à quitter son île, il est parti en emportant un caillou argenté, un brin de bruyère et un flacon d'eau de toilette de son père, parce que les filles n'aiment pas les hommes qui sentent le poisson.

Il se demande parfois si cette soirée a vraiment existé. S'il n'a pas rêvé la fée vêtue de noir, la musique, le limoncello, le lit blanc à la courtepointe rouge, la nuit dans les draps parfumés à la lavande. Il est parti avant qu'elle se réveille le lendemain, il devait relever les filets. Son frère a dansé jusqu'au matin avec une fille en robe jaune qu'il n'a pas envie de revoir, il préfère la danse à la pêche, leur père serait furieux s'il l'apprenait.

Il a écrit pour retrouver sa fée, mais elle n'est pas intéressée.

Il n'ira plus en Italie, jamais. Il aimera d'autres femmes, il mènera sa barque, mais la sirène en noir restera dans un coin de son cœur.

Rome, cimetière de Verano, aujourd'hui

Je hèle un taxi en sortant de l'aéroport de Fiumicino. Il nous conduit au cimetière communal qui s'étend sur plusieurs hectares. L'homme dont j'ai une chance sur trois d'être la fille y repose, à quelques tombes de Marcello Mastroianni, dont la fille s'appelle aussi Chiara. Alessio Ferrari sourit sur la petite photo qui orne la dalle de marbre blanc. Une phrase est gravée en dessous : *Giusto è il Signore, ama le cose giuste, XI Salmo di Davide.* « Juste est le Seigneur, il aime la Justice », *Onzième psaume de David.*

Papa, tu es parti là où on va après, à l'âge que j'ai aujourd'hui. Tu m'as élevée, même absent. Je me suis nourrie de ton enfance, de tes photos, des anecdotes rapportées par *nonna* Ornella, de ton sale goût pour les pâtes au piment et l'*ossobuco.* Tu as été mon meilleur ami, mon confident, mon rempart et mon bouclier contre Livia. Tu m'as sauvée. Même si nos conversations n'avaient lieu que dans ma tête, que je faisais les questions et les réponses. Même si tu ne me contredisais jamais. Tu m'as protégée, épaulée, guidée. Le papier que j'ai dans la poche ne nous séparera pas. Nous valons mieux que ça. Nous sommes plus forts.

Je suis venue aujourd'hui te présenter celui que j'aime. Cette fois, je ne t'ai pas demandé ton avis, j'ai choisi seule. À quoi ça sert, un père ? À vous faire prendre votre envol, à pousser ses oisillons hors du nid en leur conseillant d'agiter leurs ailes, sinon ils s'écraseront au sol.

Livia n'a rien gardé de toi. Pas même quelques vêtements. J'aurais pourtant aimé rouler tes manches le long de mes bras maigres et rêver dans tes cachemires. Elle répétait que tu lui appartenais, à elle seule, parce qu'elle avait eu la chance de te connaître. Je suis arrivée après la bataille, après ton vol plané piazza del Popolo, l'hémorragie brutale, le certificat de décès, les larmes. Elle a connu tes mains, entendu ta voix, ri avec toi, vous vous êtes disputés parfois, pour des broutilles. Moi, tu ne m'as jamais grondée. Tu n'as pas prononcé mon prénom. Je n'ai pas grimpé sur tes genoux. Tu ne m'as pas appris à conduire. On n'a jamais valsé ensemble, ni dîné au restaurant, ni savouré un verre de Barolo, ni parlé politique. J'aurais voulu savoir pourquoi tu as choisi Livia et pas Viola. Savoir où tu as trouvé la force, après la maladie de ton père, d'emmener *nonna* Ornella en voyage à travers le monde. Moi, je n'ai pas réussi à consoler Livia. J'ai une excuse, je n'étais qu'un bébé. Le bébé d'un autre, peut-être. La faute éternelle, le reproche vivant.

Alessio, il y a une vie après la vie ? Ou juste une mort après la mort ? Je te présente Charles, l'homme que j'aime. Si en ouvrant cette enveloppe, je découvre que tu n'es pas mon père, ça ne changera rien entre nous.

Alessio, je porte la veste de Gurvan, le fils de Perig. Je me suis fait plus d'amis à Groix en quelques jours qu'à Rome depuis ma naissance.

À quoi ça sert, la mort ? À faire de la place sur terre pour ceux qui suivent ? Aucun mathématicien ne peut calculer combien nous serions si personne ne mourait, on recouvrirait tous les océans et toutes les terres émergées, serrés comme des sardines, la planète n'y suffirait pas. Du coup, Dieu nous fait jouer aux chaises musicales.

Je grimpe sur l'escabeau roulant pour poser la main sur ta dalle de marbre, à trois mètres au-dessus du sol, ton appartement pour l'éternité. Bail illimité, concession perpétuelle, aucun risque de tapage nocturne. Petite, j'avais le vertige, je restais en bas et je levais les yeux vers toi. Aujourd'hui, l'escabeau ne m'impressionne plus. Je caresse ta photo du bout des doigts. Tu n'as pas changé, pas vieilli, pas pris une ride. Tu souris, indifférent, léger. Je vais vieillir, et toi, tu resteras éternellement jeune.

L'autre jour, Oanelle chantait *My Heart Belongs to Daddy* avec la voix suave et mutine de Marilyn Monroe. Une petite fille de trente ans qui jouait à la vamp. Dider est sorti de la pièce un peu trop vite, les yeux rouges. « *Yes my heart belongs to daddy, da, da, da, da, da, da, da, da, daaaad.* »

Rome, Centro storico

Notre taxi roule maintenant vers la partie ancienne de la ville. Livia ne sait pas que j'arrive, je ne l'ai pas prévenue. Sa vie est réglée comme du papier à musique. À cette heure-ci, elle est forcément chez elle. Je sonne à l'interphone.

— *Chi è ?*

— *Io.*

Elle ouvre. Mon estomac ne se tord pas. Elle ne me fait plus peur. Désormais, je ne suis plus seule.

Nous sortons de l'ascenseur. Elle a les bras ballants, on ne la changera pas. Je ne lui tends pas la joue, ma main droite est à l'abri dans la main gauche de Charles, elle le dévisage, comprend que le bonheur a gagné, que l'amour est plus fort que la désespérance, que j'ai changé, qu'elle ne me gâchera plus la vie.

— *Grazie a dio* ! Tu es là ! On a retrouvé le corps d'un noyé sur une plage de l'île de Groix, ils l'ont dit hier soir au journal télévisé. J'ai eu si peur…

Je regarde Charles en espérant de toutes mes forces qu'il ne s'agit pas de lui.

— Rentrez, dit-elle en reculant vers l'appartement.

Nous nous asseyons sur le canapé noir du salon aux murs gris. Je me sens en visite, alors que j'ai grandi ici. Livia attaque, bille en tête, comme si j'étais seule :

— Tromper son mari, c'est humain. Tromper un fantôme, c'est impardonnable. Tu comprends, il n'était plus là pour se défendre, pour m'insulter. Je me sentais mauvaise, je me sentais sale.

Je ne lui présente pas Charles, nous sautons l'étape de la politesse, nous allons directement au cœur du sujet.

— Pourquoi tu ne m'en as jamais parlé ?

— Tu n'étais qu'une enfant. Et je ne voulais pas briser Ornella.

Nonna Ornella avait repris goût à la vie grâce à ma naissance. Savoir que je n'étais peut-être pas la fille de son fils bien-aimé l'aurait achevée.

— Je vous offre un café ? propose Livia.

— Avec plaisir, répond Charles.

» Tu ressembles à ton père, me souffle-t-il en se penchant vers moi quand elle sort de la pièce.

— Comment le sais-tu ?

— Tu ne ressembles pas à ta mère.

Je souris.

— Je suis passée à la librairie où tu es censée travailler, annonce Livia en posant trois tasses devant nous. Ils sont furieux.

— Marco l'était aussi, d'après Viola, mais il paraît qu'il s'est consolé, dis-je.

— Vous êtes donc allés chez elle, avant de venir ici ?

— Non, elle est venue à Groix me montrer la lettre que tu lui avais écrite.

— Mais tu as refusé de la lire.

— Comment le sais-tu ?

— Tu es ma fille.

Livia boit son café, repose sa tasse.

— Je te présente Charles Arag… Charles Bleu.

J'ai encore du mal avec son nom de famille. Livia lui sourit de la bouche, pas des yeux.

— C'est la première fois que vous venez à Rome ?

— On n'est pas là pour faire du tourisme, dis-je doucement. J'ai retrouvé les deux Français qui étaient à l'île d'Elbe. J'ai demandé des tests de paternité en Angleterre pour savoir si je suis la fille de l'un d'eux. Ils s'appellent Tonnerre, ils sont frères. Tu te rappelles le prénom de celui avec lequel… ? Kilian ? Ou Brendan ?

Je ne précise pas que le premier vient de rejoindre son mari.

— On s'est à peine parlé. Il ressemblait beaucoup à Alessio.

Aucun des frères Tonnerre ne ressemble aujourd'hui à l'absent magnifique sur ses photos.

— J'étais épuisée, je ne dormais plus, je ne mangeais plus. J'ai bu trois verres de limoncello. Il me faisait tellement penser à lui, même eau de toilette, même silhouette, mêmes cheveux, j'ai cru qu'il était revenu, que sa mort n'était qu'un mauvais rêve.

Je me souviens de ce que le Grek du Triskell a dit à Perig.

— Il a cherché à te revoir, il t'a écrit. Pourquoi tu n'as pas répondu ?

— Je n'ai rien reçu, dit-elle. La lettre a dû se perdre.

Les visages des Groisillons auxquels j'ai distribué le courrier défilent devant moi tandis que je sors l'enveloppe froissée de ma poche.

— Ce sont les résultats des tests. Je voulais l'ouvrir avec toi.

Livia écarquille les yeux. Charles retient son souffle.

Ma mère saisit l'enveloppe, l'ouvre, en sort une feuille pliée en deux. Le papier est fin, presque translucide. Elle veut laisser tomber l'enveloppe pour déplier la feuille et lire ce qu'il y a dessus, mais elle tremble, se trompe, et fait le contraire : elle garde l'enveloppe à la main et elle lâche la feuille.

Ne me dis pas que tu n'y es pour rien, Alessio, je ne te croirais pas.

À ce moment précis, le vent se met à souffler, et un courant d'air s'engouffre dans l'appartement. La fenêtre claque. Livia ébauche un geste maladroit pour rattraper la feuille, mais elle lui échappe et s'envole, hors de l'appartement aux meubles noirs et aux murs gris. Nous nous précipitons tous les trois sur l'étroit balcon, les doigts crispés sur la rambarde, le torse penché vers la rue.

La feuille ondoie devant l'immeuble, flotte dans l'air romain, pique du nez. Son périple ne s'arrête pas là. Elle effleure la selle en cuir d'une moto, atterrit sur le toit d'une Ferrari. Elle hésite, tandis que l'élégante voiture s'éloigne le long du Tibre. Elle redécolle pour se poser sur le pont supérieur d'un autobus à impériale rempli de touristes bardés d'appareils photos. Muets, les yeux écarquillés, nous la voyons s'éloigner.

L'identité de mon père biologique s'enfuit vers le Colisée, passe devant des boîtes aux lettres du même rouge qu'à Londres où elle a été postée. La vérité décampe, entourée de touristes américains et asiatiques qui sourient aux pierres ocre et rose. Livia secoue la tête, incrédule. Charles m'entoure de ses bras. Je suis effondrée. Même si j'appelle le labo, ils ne me donneront aucun résultat par téléphone. Il va falloir écrire, argumenter, repayer, attendre.

— Ton père ne sait pas ce qu'il rate, dit Charles.

Je fais quoi, maintenant ? Je téléphone à la compagnie des bus ? Tu te crois malin, Alessio ? Tu meurs de rire en nous observant depuis ton nuage avec vue imprenable sur la planète bleue ? Brusquement, ma quête m'apparaît vaine, ridicule, grotesque.

Ça changera quoi, si Brendan Tonnerre est mon père biologique ? Je m'appellerai Chiara Tonnerre. Je serai groisillonne de sang, ce qui n'a pas de prix. Avec une tombe familiale au cimetière, près de la femme et de l'enfant en pierre qui prient pour les marins perdus. J'aurai du micaschiste dans les veines, du grenat dans le cœur, de l'océan dans les yeux, du courage dans les tripes. Je pourrai m'engueuler avec les voisins pour une aire à battre en indivision ou un terrain avec servitude. Je serai de l'île, *co*. J'aurai un père vivant, *nom de toui*. Un demi-frère toxico en hôpital psychiatrique, pas en prison. Une demi-belle-sœur en bottes de caoutchouc noir monogrammées. Un futur demi-neveu ou une future demi-nièce.

Je ne serai plus une étrangère. Ni la fausse filleule de Rozenn.

Est-ce que Brendan m'aimera ? Efflam aura-t-il confiance en moi ? Pourrai-je l'aider ? Il sera peut-être jaloux, ou bien il me croira intéressée par l'héritage. Je ne serai pas vraiment la fille de Brendan, mais une bâtarde, le résultat d'un coup tiré en douce, une erreur de jeunesse, une horrible bêtise.

Je ne gagnerai pas forcément la confiance des Groisillons, je leur serai imposée, balancée, obligée.

On ne rattrape pas le temps perdu, je ne suis pas née sur l'île, je ne suis allée ni à l'école du diable ni à celle du bon Dieu, je n'ai pas grandi parmi eux. Je suis italienne et j'en suis fière.

Brendan Tonnerre n'est pas un vendu, il veille au grain, c'est un informateur caché dans le cheval de Troie de la compagnie qui relie l'île à la grande terre. Il n'a pas besoin de moi, il a assez d'ennuis avec son fils.

Si je suis la fille de Brendan, Alessio Ferrari n'a plus rien à voir avec moi. Livia l'a trompé, trahi, lâché. Je n'ai aucun droit sur lui. Mon meilleur ami risque de me tourner le dos. *Nonna* Ornella se retournera dans sa tombe. Je ne serai plus digne de ses *penne* ni de l'*ossobuco*. Au lieu de gagner un père, j'en perdrai trois.

Ça changera quoi, si Kilian Tonnerre est mon père biologique ? Je m'appellerai Chiara Tonnerre. Je serai groisillonne de sang, avec une tombe familiale au cimetière près des statues de pierre. J'aurai de l'aquarelle dans les veines, de la délicatesse dans le cœur, de l'océan dans les yeux, du courage dans les tripes. Je ne pourrai même pas m'engueuler avec mon nouveau père. Je serai de l'île, *co*. J'aurai un père fraîchement décédé, une tombe sur laquelle poser des fleurs au cimetière, *nom de toui*. Je serai de nouveau orpheline. Héritière du souvenir d'un ermite renfrogné avec une patte folle, d'un chien au nom de philosophe, d'une cuisine repoussante de saleté pour écarter les importuns.

Est-ce que Kilian m'aurait aimée ? Je suis entrée chez lui sans sa permission, j'ai fouillé son antre, découvert son secret, trompé sa confiance. Me l'aurait-il pardonné ?

Kilian Tonnerre n'était pas un paria, c'était un artiste subtil et sensible. Il n'avait pas besoin de moi, Aristote lui suffisait.

Si je suis la fille de Kilian, Alessio et *nonna* Ornella deviennent des étrangers. Au lieu de gagner un père, j'en perdrai trois.

Ça changera quoi, si Alessio Ferrari demeure mon père biologique ? Je resterai Chiara Ferrari. Je ne serai jamais groisillonne de sang. J'aurai des *pasta* dans les veines, de la grappa dans les artères, le plus grand cinéma du monde dans mon ADN, du goût pour les *canzoni d'amore*. J'aurai un père souriant sur la photo. Je serai certaine qu'on se serait aimés, et ce gâchis me brisera le cœur.

Si je suis sa fille, je n'ai rien à voir avec les Tonnerre. Je retombe dans l'anonymat des étrangers à l'île. Je reste orpheline, le manque ne sera pas comblé. Au lieu de gagner un père, j'en perdrai trois.

Alors que Livia et Charles me regardent, atterrés, je comprends soudain que ce qui m'importait, plus que le résultat, c'était la quête, pas la destination. Tous les chemins mènent à Rome.

— On s'en fiche, de ces analyses, finalement, non ? dis-je.

Livia hésite, puis un sourire naît sur ses lèvres, illumine ses yeux tristes. Son corps éteint frémit, sa peau se colore, ses oreilles bourdonnent, son nez se plisse. Elle est la Belle au bois dormant qui se réveille après un sommeil long de vingt-cinq ans. J'enfonce le clou.

— Tu es là, je suis là. Nous avons de la chance.

— Nous sommes là, approuve-t-elle.

— *Ho sete.* J'ai soif, dis-je doucement.

À quoi ça sert, un père ? Dans le dictionnaire, « servir » signifie être utile. Les parents ne sont pas utiles, ils font partie de la donne de départ, qu'on leur ressemble ou pas. On s'adapte, on s'insurge, on s'entretue, on s'entraime. Alessio a été mon père, mon grand frère, mon meilleur ami invisible, c'était à la fois rassurant et déchirant de l'aimer. J'en ai assez de parler à un type encadré. Je préfère la réalité des bras de mon homme, la pipe de Perig, les bêtises des poulpiquets, les chants d'Oanelle. Je préfère l'évidence de Groix. Avec Charles, la vie est unique et magnifique. Je veux encore émerger des ruelles entortillées de Locmaria pour déboucher sur la plage à marée basse au moment où le soleil fait scintiller le sable.

Et maintenant, je veux boire. J'ai soif. Pas soif de limoncello, soif d'une mère.

— *Mamma, andiamo da Rosati insieme ?* Maman, on va au Caffè Rosati ?

Rome, piazza del Popolo

Toutes les tables en terrasse sont occupées. Des jeunes femmes boivent des *espresso*, des spritz ou des oranges pressées. Leurs robes de printemps dévoilent leurs jambes et leurs décolletés, elles ont la vie devant elles, elles rêvent d'amour. Des garçons aux cheveux gominés, aux lunettes de soleil miroir, à la barbe naissante, les observent en fumant depuis l'autre côté de la rue. Comme un bateau trace vers une bouée en régate, ils vérifient que la voie est libre avant de les rejoindre et de les aborder. La circulation est plus fluide qu'à l'époque d'Alessio, il faut désormais une permission spéciale pour entrer en voiture dans le *centro storico* en semaine.

Je suis attablée avec ma mère et Charles. On a l'impression de se connaître depuis la nuit des temps. Je sais qu'il dort sans pyjama et à droite plutôt qu'à gauche. Ferme mal le bouchon du dentifrice. Préfère la moutarde au ketchup. La viande au poisson. Mozart à Bartók. Et qu'il aime Éluard et Baudelaire.

Charles se penche vers son sac à dos, y pêche deux paquets, nous en tend un à chacune.

— Ma mère était prof de français, explique-t-il à Livia. Elle disait que chaque personne a un livre qui changera sa vie. Certains le trouvent tout de suite, d'autres passent leur existence à le chercher.

Je reconnais le logo de la librairie parisienne où il est entré en vitesse après notre petit déjeuner chez Urielle. Charles m'offre les *Œuvres poétiques* d'Apollinaire dans la collection préférée d'Alice. Il a choisi pour Livia l'*Anthologie bilingue de la poésie italienne.* Elle effleure du bout des doigts le papier bible. Elle lit les noms des auteurs : Leopardi, D'Annunzio, Pasolini, Pavese, Pétrarque. Sans comprendre le pourquoi du cadeau, elle remercie Charles. Elle n'est pas revenue sur cette place depuis ma naissance. Je n'ai pas voulu la torturer, mais faire tomber ses chaînes.

Elle ouvre le livre au hasard. Tombe sur Cesare Pavese, l'auteur de *La mort viendra et elle aura tes yeux.* Les larmes coulent sur son visage. Elle m'ouvre les bras. Tu entends, Alessio ? Tu vois, Charles ? Vous comprenez, vous autres ?

Ma mère m'ouvre les bras et, pour la première fois, on se serre l'une contre l'autre. Je découvre son odeur, la texture de sa peau, le soyeux de ses cheveux. Je sais le parfum des hommes contre lesquels j'ai dormi, la douceur de leurs torses, leurs épaules larges, leurs visages piquants de barbe au matin. Ce sont les seuls êtres que j'ai touchés, puisque ma mère refusait tout contact. Je ne savais d'elle que sa tristesse et son refus du bonheur. Aujourd'hui, on s'agrippe, on s'ancre, on se brise de tendresse. Son corps vibre sur une note douce, un soprano mélancolique et fragile, rien à voir avec les notes puissantes, basses et profondes du corps de Charles.

Et on reste là, cœur battant, souffle court, pour réparer les années enfuies. On rembobine le film, on plonge en arrière dans le passé, on rattrape tout, les étés calamiteux et les Noëls affligeants, on revit tous ses anniversaires effacés du calendrier, on souffle les bougies de ses vingt-cinq derniers gâteaux le jour exact et pas le lendemain, on nage à Fregene, on va au cinéma, au concert, à l'Opéra, on mange des glaces, on visite Venise et Florence, Pise et Sienne, Gênes et Turin, Bari et Capri, Naples et Palerme, on navigue jusqu'aux îles Éoliennes, ensemble, et c'est incroyable de douceur. On regagne le temps perdu, on s'emplit les yeux, les bronches, l'estomac, l'âme. On a des ampoules aux pieds en escaladant les volcans, on a les doigts fripés en flottant sur les mers.

On cuisine des tiramisu et des cakes au romarin. On invite des amis à dîner. On chante. On sèche nos larmes. On gomme la tristesse et la culpabilité. On devient une mère et sa fille.

Cela dure un long moment, on s'étreint pour repriser l'amour. Charles fait quelques pas sur la place pour nous laisser un moment d'intimité. Puis, avec une infinie lenteur, je me détache de Livia.

Elle a supporté de vivre, déchirée, se croyant coupable. Je lui dois la joie de l'île et mon bonheur avec Charles. Je cherchais un père, j'ai trouvé une mère. Je l'avais depuis ma naissance, mais on se croisait sans se voir. On vient enfin de se rencontrer.

— Tu viendras nous voir à Groix ?

Charles sourit. Nous retournons là-bas, c'est une évidence. Livia hésite. Elle a mille raisons de décliner la proposition. Elle a peur en avion. Elle a le mal de mer. Son amant breton d'un soir n'a jamais cherché à la revoir. Elle ignore que le jeune Français qui ressemblait à Alessio est devenu un gros monsieur chauve ou un maigre monsieur mort. Elle se cache derrière sa douleur depuis tant d'années, lovée contre elle, protégée par son armure de chagrin. Se défaire de cette carapace doit être terrifiant. Elle pose sa main sur mon épaule, je sens la chaleur de ses doigts, et ce simple geste vaut tous les discours.

— Je viendrai, Chiara.

La vie soudain ressemble au cake au romarin de Rozenn.

Île de Groix, Kermarec

Nous avons décollé d'Italie, atterri en France. Quitté le drapeau vert blanc rouge pour le drapeau bleu blanc rouge. Troqué le vert des baskets de Louis contre le Bleu du nom de Charles.

Perig et Aziliz sont assis devant l'océan à l'arrière de leur maison, Chapô se prélasse sur l'herbe à quelques mètres d'un faisan qui l'observe en penchant le cou.

— Chiara et Gabin ! s'écrie Aziliz.

— Chiara et Charles, corrige Perig.

Ils sont si dissemblables, elle, minuscule, tragique et forte, lui, dolmen dressé sur un pied de cristal. Ils se soutiennent et se consolident comme des arcs-boutants.

Charles pose délicatement son sac à dos sur la table et en sort la bouteille de Mercier qu'on a récupérée chez Urielle avant de reprendre le train pour Lorient.

— C'est une longue histoire qui donne soif, dit-il.

Aziliz se lève, rentre dans la maison et revient avec quatre verres. Je repense brusquement au noyé retrouvé sur la plage. Mais Perig et sa femme n'ont pas changé, ils sont comme nous les avons laissés.

— Vous buvez avec nous, Aziliz ?

Elle hoche la tête.

— J'avais fait le vœu de ne plus toucher à l'alcool jusqu'au retour de notre fils. Il y a prescription grâce à vous. Perig était persuadé qu'on ne vous reverrait plus. J'ai parié le contraire. J'ai gagné le droit de boire de nouveau.

— C'est un champagne de mon année de naissance, annonce Charles en débouchant la bouteille. Il n'a presque plus de bulles, il se boit comme un vin. Oubliez qu'il devrait pétiller, concentrez-vous sur son arôme, sa saveur, les notes qu'il dégage.

Aziliz porte un toast à l'océan et à Gurvan, trempe ses lèvres dans son verre et ferme les yeux tandis que l'alcool déferle sur ses papilles.

— On a retrouvé le corps d'un plaisancier tombé d'un bateau il y a un mois, dit Perig. Buvons à ceux qui le pleurent.

Le champagne scintille au coucher du soleil comme la tour Eiffel à 1 heure du matin. Je retrouve les notes sucrées de fruits confits, la suave amertume du café.

— Buvons aussi à Alice Bleu et à Alessio Ferrari, propose Charles.

Je rajoute :

— Et à Kilian Tonnerre.

— Si vous êtes revenus pour de bon, il faudra déménager Chapô, dit Perig. À moins que vous ne cohabitiez avec lui.

Les yeux d'Aliziz pétillent plus que le vin dans nos verres.

— Chapô s'est installé dans le studio de Gurvan, l'ancien garage où notre fils dormait au milieu de ses planches. Je fais le ménage chaque mois. Les araignées s'entêtent, mais je les déloge, précise-t-elle.

— Vous porterez les planches, les voiles, les mâts, les wishbones et les accessoires à la Strouilh, dit Perig à Charles. Ils sont ouverts le jeudi et le dimanche.

— La quoi ?

— Modern Strouilh, la recyclerie de l'île. On leur donne ce dont on veut se débarrasser et ils le revendent à bas prix à ceux qui en ont besoin. La *strouilh*, en groisillon, c'est le déchet au fond du filet.

— Nous irons, promet Charles.

Je vérifie :

— Vous ne voulez plus garder le matériel de Gurvan ?

— Sauf si vous insistez pour dormir dessus, mais ça doit être inconfortable.

Charles vient à ma rescousse.

— Vous proposez de nous louer le studio ?

— À quoi bon gagner de l'argent si c'est pour payer plus d'impôts ? grogne Perig. Cet endroit a besoin d'être chauffé, entretenu, repeint, vous allez avoir du boulot. Ne râlez pas parce que le ressac vous empêche de dormir les jours de tempête.

Le studio, sur le côté de la maison, a une grande baie vitrée à travers laquelle on distingue des planches entreposées sur et près d'un grand lit qui fait face à l'océan.

— Il y a une salle d'eau derrière et une kitchenette. Ça ne paie pas de mine, mais…

— C'est le paradis, dis-je.

— On nous a souvent demandé de le louer l'été. On ne pouvait pas.

— Je vais gagner de l'argent en écrivant pour le capitaine, il n'est pas question que vous nous logiez gratuitement, dit Charles.

— Tu veux me fâcher, *co* ? Achète la peinture et retrousse tes manches.

Il fera bon vivre dans la grande pièce claire que nous découvrons. Ce n'est pas un mausolée, les couleurs vives des voiles et des harnais égayent les murs défraîchis. On entend la mer battre les rochers. Nos doigts s'entrelacent.

— Tu l'imagines de quelle couleur ?

— Tout sauf gris et aucun meuble noir !

— On ira demain voir le nuancier chez Le Menach.

— Les planches feront des heureux, même si elles ne sont pas à la dernière mode.

— Tu ne crois pas que ça leur fend le cœur de s'en défaire ?

— Ils s'allègent.

Nous rejoignons Perig et Aziliz en réfrénant notre joie par délicatesse.

— Si ça ne vous tente pas, on comprend, dit Aziliz. Ne vous sentez pas obligés.

Je la prends dans mes bras, si émue que je ne trouve pas les mots. Là où Oanelle chanterait, j'étreins.

— Je fatigue, grommelle Perig. Je cherche quelqu'un pour prendre ma relève de correspondant de presse. Je ne lèverai pas le pied tout de suite, mais j'ai parfois du mal à être partout à la fois. Il faut quelqu'un de jeune qui sache écrire et qui pourrait m'épauler. Les Groisillons te connaissent, Charles.

— Ce serait un honneur, dit le fils d'Alice Bleu.

On établit la liste du matériel nécessaire pour redonner un coup de jeune au studio. On empruntera la remorque de Dider pour emporter les planches à la *strouilh*.

J'aide Aziliz à remporter les verres à la cuisine.

— Nous ne voulons pas de loyer, c'est nous qui

vous sommes redevables ! Vous faites du bien à Perig, souffle-t-elle. Quand vous êtes partis, il était ému, c'était la première fois depuis la mort de Gurvan. Il va enfin faire son deuil.

Perig nous raccompagne à la barrière blanche et chuchote :

— Si Gurvan rentre un jour, c'est peu probable, mais ce n'est pas impossible, on ne sait jamais, avec la vie, hein ? Il ne m'en voudra pas, il achètera d'autres planches, les siennes sont devenues obsolètes.

Île de Groix, Port-Lay

On rentre un peu *chich'tés* sans rencontrer les gendarmes, en roulant au pas dans la chicane des maisons de Lomener, avec l'impression que les ruelles sont trop étroites pour la voiture.

Dider, Rozenn et Oanelle ont préparé le dîner. Rozenn nous lit sur sa tablette un texte écrit par le conteur groisillon Lucien Gourong et posté sur le site d'Anita. Pour sauver le cinéma des Familles, il en appelle « aux Greks insulaires et Greks exilés, néo-Greks, greffés d'ailleurs, qui ont choisi cette île si insigne par le seul émoi du cœur, résidents principaux ou secondaires, touristes d'un jour ou de la semaine, voyageurs d'éternité ». Ses mots me touchent et me réparent. J'appartiens à cette cohorte, exilée et hantée par le passé. Je songe aux reproches d'Urielle, aux touristes qui profitent de la beauté du caillou et repartent sans rien donner en échange. Je me sens ingrate, je suis un triskell dont les spirales tournent dans le sens inverse des aiguilles d'une montre. Charles va écrire les mémoires de Kerwan, rendre compte des événements qui se dérouleront sur l'île, il a même évoqué l'idée d'un roman. Mais moi, quelle pierre apporterai-je à l'édifice ?

La sonnerie personnalisée d'Urielle jaillit du portable de Rozenn. Elle se crispe : « Oui, ma chérie ? » dit-elle d'une voix anxieuse. Dider se fige. Les traits du visage de Rozenn se détendent et son sourire réapparaît. C'est le même sourire que sur les photos du salon où elle pose avec Dider, avant la chute d'Oanelle. À quoi ça sert, des parents ? À ramasser leur fille en miettes, puis à agir comme s'il était normal qu'elle chante ses émotions, et qu'elle ne sache plus communiquer autrement.

— Urielle et les korrigans reviennent vivre dans l'île ! s'écrie Rozenn après avoir raccroché.

Le visage de Dider s'illumine. Ponant aboie. Oanelle, impassible, chante : « J'avais fini mon voyage, et j'ai posé mes bagages, vous étiez venu au rendez-vous. »

— Elle va épauler sa cousine, qui a des chambres d'hôtes ouvertes à l'année, et s'investir dans le Fifig, le Festival international du film insulaire qui a lieu chaque année en août. Elle a retrouvé sa voix d'avant ! annonce Rozenn, émue.

— Sa voix d'avant ?

— Quand elle chantait Reggiani, Barbara, Brel et Michel Legrand avec sa sœur, aux fêtes de l'île. Elles ont grandi avec nos vieux vinyles. Elles faisaient la première partie du groupe groisillon Les Renavis.

Oanelle entonne : « Les poissons, quand ils ont le cœur atteint, ne peuvent pas noyer leur chagrin. »

— Ils ont un répertoire de chants de marins et de reprises, vous venez d'en avoir un aperçu, ajoute Dider.

Mon amoureux et notre amie sont bardés de projets. Il écrira, elle s'occupera des chambres d'hôtes, sa sœur chantera, les poulpiquets feront voler leurs goélands-volants. Je me réjouis sincèrement pour eux. Moi, je reste en rade au port.

— Les Renavis seront en concert à la Pop's Tavern le week-end prochain, se rappelle Dider. On vous emmènera. Oanelle adore quand ils chantent *L'Île de Groix.*

— « Essayez de foutre le camp, elle vous aura aux sentiments, comme femme retient l'amant », fredonne Oanelle.

L'île aux sorcières m'a eue aux sentiments. Elle m'a piégée. Je n'étais pas une fille à papa, je suis devenue une fille à papas italo-groisillonne.

Île de Groix,
plage des Grands Sables

Oanelle se baigne par tous les temps, son père surveille cette jeune femme de trente ans comme s'il s'agissait d'une enfant. Elle n'a plus fait de crise d'épilepsie depuis des années, mais elle ne doit pas nager seule. Je m'assieds près de Dider. L'eau est trop froide pour mon corps, habitué à la Méditerranée.

Une silhouette arrive par le sentier, Corysande nous rejoint.

— Rozenn m'a dit que je te trouverais là. On a parlé de toi ce matin, Marielle et moi.

Je me crispe. J'ai commis une erreur, perdu ou oublié une lettre ? Kilian s'est plaint de mon intrusion chez lui avant de mourir ? La factrice titulaire de la tournée de Locmaria s'installe à côté de moi.

— Je suis superstitieuse, Chiara. Je n'ai prévenu personne que l'intervention pour laquelle je suis partie sur la grande terre était une fécondation *in vitro.* Mais la bonne nouvelle, c'est que je suis enceinte ! Je ne veux prendre aucun risque, donc je vais m'arrêter jusqu'à la naissance du bébé. Je ne reprendrai mon travail qu'à la fin du congé maternité. Veux-tu me remplacer ? Marielle est d'accord.

Je fixe Corysande, sans y croire. Je ne serai plus en rade. Je pourrai de nouveau enfourcher Pégase. Corysande se méprend sur la raison de mon silence.

— Si ça ne t'intéresse pas, ils trouveront quelqu'un d'au…

— *Sì !* Oui ! *Certo ! Voglio !*

Je pense au poème de Neruda qu'Alessio aimait tant. Je ne vais pas me laisser mourir lentement, je vais vivre. Mon rire vole en éclats joyeux qui saupoudrent les vagues. Oanelle est sortie de l'eau, elle a entendu la fin. Imperturbable, elle chante : « Pour le temps qui me reste à vivre, stopperais-tu ta vie ivre, pour pouvoir vivre avec moi, sur ton île aux mimosas. »

Avec l'avance que Kerwan a donnée à Charles, il a racheté deux vélos électriques d'occasion à Régis du Vél'o Vert. J'ai baptisé le mien Morvarc'h, « cheval de mer » en breton, le cheval noir qui court sur l'eau, dans la légende d'Ys. Mon Morvarc'h est impétueux, rapide, assez éraflé, digne et fier. Je l'enfourche.

Le cheval de la légende soufflait des flammes par les naseaux en emportant la reine Malgven et son amant le roi Gradlon. Mon Morvarc'h galope vers mon amoureux pour lui annoncer la nouvelle. Autrefois, Livia a épousé Alessio, puis rencontré Brendan et Kilian. Aujourd'hui, moi aussi j'ai rencontré quelqu'un. L'enfance est loin derrière. J'ai gagné un jour de plus à mon calendrier, celui de l'anniversaire de ma mère, un jour mémoire, un jour tendresse. Malgré elle, Livia m'a offert Groix en héritage, et nous finirons bien par faire la paix avec Viola. Brendan a Efflam et le futur bébé. Kilian avait Aristote et ses pinceaux. L'essentiel est de ne pas être seul et d'aimer.

Île de Groix, le bourg

Tu t'appelles Charles Bleu. Tu es allé en Italie et en Bretagne. Tu as rencontré Chiara Ferrari sur le bateau pour Groix. Il y avait statistiquement peu de chances que vos routes se croisent un jour.

Il est midi plein, place de l'Église. Assis à la terrasse de Bleu Thé, tu savoures le far de Gwénola en lisant le livre que ton amoureuse t'a offert hier, quand vous avez fini de peindre en ocre le studio de Kermarec. Elle a glissé, au début des *Œuvres* de Jean d'Ormesson dans La Pléiade, une carte où elle a recopié une phrase prononcée par l'écrivain dans une émission canadienne : « S'il n'y avait pas de fêlure, on n'écrirait pas. La fêlure est là. La fêlure, c'est ce qui vous fait écrire. »

Tu te dis que si Dieu a créé le monde, il a passé plus de temps à fabriquer cette île que d'autres endroits. Tu aperçois Chiara qui arrive sur son nouveau vélo et c'est l'été, bien qu'on soit au printemps. Elle aime tant le remplaçant de Pégase que tu te sens jaloux de la bicyclette. Tu n'aimes plus dormir depuis que vous êtes ensemble, parce que le sommeil te sépare d'elle. Chiara a littéralement kidnappé ton cœur.

Une dame âgée, assise à la table d'à côté, dit à son mari que, dans la vie, il y a plus de pépins que d'ombrelles. Tu penses le contraire. Dans la tienne, depuis que tu as rencontré Chiara, il y a des parasols colorés, du soleil et des glaces à l'eau.

Les passants s'effacent, le manège se volatilise, l'église coiffée du thon grandeur nature disparaît. Chiara emplit ton champ de vision avec ses cheveux ébouriffés, ses lèvres aussi rouges que la veste de Gurvan, ses dents aussi blanches que l'écume les jours de tempête, la tache bleue en forme de cœur au milieu de son œil droit couleur chocolat.

Elle lève la main pour te saluer et son bracelet capte les rayons du soleil. M. Bulle ne t'a pas menti, ses perles aux reflets rouge sombre t'ont porté chance. Autrefois, le grenat servait à dégrossir les pierres. L'île vous a tous les deux sortis de votre gangue, dépouillés de vos aspérités. Les îliens forts en gueule à l'âme burinée de rêves vous ont acceptés. Chiara a révolutionné ta vie, secoué tes grilles, déboulonné tes statues, tranché tes liens. Le bonheur auquel tu ne croyais pas existe finalement dans ta taille.

Tu vas lui faire lire le synopsis de ton premier roman. Il parlera de poèmes, d'Alice, de la foire de Chatou et des Pléiade d'occasion, de fantaisie, de déchirements, de tendresse et de danses. Il parlera de fêlures et d'ulcères, de réanimation et de prête-plume, de vengeance et d'amour, de pain chaud et de far grek. Il aura une couverture rayée comme une marinière.

Chiara a fait la connaissance de sa mère avec retard, et toi, tu as vengé la tienne. Vous êtes enfin en paix. Alice, Paul et toi plantiez chaque année une fleur nouvelle, dans le jardin de Chatou. Celle du dernier été était une glycine bleu pâle. Pour continuer la tradition, Chiara et toi planterez une passiflore à Kermarec.

Une voiture passe, la vitre du conducteur est ouverte, une chanson de Paolo Conte s'envole vers toi. Un sourire flotte sur tes lèvres, tes mains pressentent la douceur du corps de ton amoureuse, tu te sens enfin au bon endroit de ta vie. *It's wonderful, it's wonderful, it's wonderful, I dream of you.*

Tu as fait côte sur le cœur de Chiara et sur l'île.

Île de Groix, Rome, Montesson, Chatou, Francfort, Venise, 2017.

Kenavo d'an distro, au revoir à bientôt.

Aucune boîte aux lettres n'a été maltraitée pendant l'écriture de ce livre, des bouteilles ont été vidées, des musiques ont plané, des lettres ont été postées, des rires ont fusé, des cakes au romarin ont été savourés devant l'océan.

Musiques

Via con me, Paolo Conte
Maintenant je sais, chanté par Jean Gabin
L'Italien, chanté par Serge Reggiani
Plaisir d'amour, chanté par Tino Rossi
Musiques celtiques, An Triskell
Blue Moon, chanté par Elvis Presley
Je t'aimerai, Michel Tonnerre
La donna è mobile, opéra *Rigoletto* de Giuseppe Verdi
La Bicyclette, chanté par Yves Montand
Le 31 du mois d'août, chant de marins
Pierre, Barbara
Riche, Claudio Capéo
Barbara Furtuna, chanté par I Muvrini
Dirty Old Town, Ewan MacColl
Me zo ganet e kreiz ar mor, chanson bretonne traditionnelle, musique et paroles de Yann-Ber Calloc'h et Jef Le Penven
Sodade, Cesaria Evora
I Wish I Knew How It Would Feel to Be Free, Nina Simone
Se stiamo insieme, Riccardo Cocciante

My Heart Belongs to Daddy, chanté par Marilyn Monroe
Ma plus belle histoire d'amour, Barbara
La Complainte de la Bernique, Les Renavis
L'Île de Groix, Gilles Servat
L'Île aux mimosas, Barbara

Recette du cake au romarin
de Brigitte de Lomener

3 œufs
150 g de farine
110 g de sucre
125 g de beurre salé (on est en Bretagne)
225 g de raisins secs et fruits confits
125 g de noisettes, d'amandes ou de noix
Une cuillerée à soupe de romarin frais
Extrait de vanille (un bouchon ou un sachet)
Poudre à lever (un demi-sachet)
Une pincée de sel

Préchauffer le four à 180° (ou 6).
Faire ramollir le beurre salé.

Mélanger la farine, le sucre, la levure et le sel.
Ajouter le beurre en morceaux, puis fouetter
(fouet à main ou électrique).

Ajouter les œufs, la vanille, le romarin, les raisins secs,
les fruits confits, les noisettes, les amandes ou les noix.
Verser dans un moule à cake, enfourner et cuire
15 minutes à 180° (thermostat 6),
puis 50 minutes à 110° (thermostat 3-4).
C'est encore meilleur si le romarin vient du jardin.

POSTFACE

À quoi ça sert, un père ?

Le mien est mort l'été de mes dix-sept ans, d'un infarctus, brutalement. Je me suis construite sans lui, son absence m'a cabossée mais m'a aussi donné une force immense, magnifique. Parce qu'on a eu le temps de se connaître et de s'aimer. Du coup, je suis devenue médecin urgentiste pour réanimer les papas des autres. Et maintenant, j'écris des romans où j'invente des papas de papier. Alors ma question de départ pour ce roman, c'était : à quoi ça sert, un père ? Peut-on vivre sans père et se construire ? Vaut-il mieux avoir un père mythifié disparu, qui est toujours d'accord avec vous, puisque muet, et avec lequel vous ne vous disputez jamais, qui approuve vos choix et adore forcément votre amoureux ou votre amoureuse ? Ou un père réel, vivant, qui n'a pas besoin de vous, se moque de qui vous aimez et de ce que vous faites ? Qu'est-ce qui rendra

Chiara heureuse ? Un fantôme d'amour italien mort dans un accident brutal et romantique, ou un Breton inconnu sur une île française de huit kilomètres sur quatre ?

Je vous emmène encore à Groix. Chacun de mes romans l'aborde différemment, mais elle est un personnage à part entière. Dans *Entre ciel et Lou*, Lou est une Groisillonne d'adoption qui respecte et aime l'île de son mari Jo. Dans *Les Couleurs de la vie*, Kim est groisillonne et quitte son île pour la Côte d'Azur. Dans *Poste restante à Locmaria*, Chiara est italienne, elle arrive sur l'île en étrangère, pour chercher un père qui ignore son existence et peut-être la rejettera.

Locmaria. Entendre ce nom, c'est rêver de Bretagne, d'océan, de crêpes, de gros pulls et de bonheur. Il y en a plusieurs : celui de Groix, celui de Belle-Île-en-Mer, et aussi Locmaria-Plouzané dans le Finistère, et Locmariaquer dans le Morbihan. Pour le titre de ce livre, j'hésitais entre : *Lettre recommandée* ; *Avant la lettre* ; *Le Pied de la lettre* ; *Le courrier est passé* ; *Coup de Tonnerre* ; *Du courrier pour toi* ; *En toutes lettres* ; *Comme une lettre à la poste* ; *La Boîte aux lettres.* Et puis *Poste restante* s'est imposé, et *Locmaria* a suivi. Il sort en Allemagne cette année sous le titre *Les 48 Boîtes aux lettres de mon père*, j'aime beaucoup.

Pour l'écrire, j'ai accompagné une amie factrice groisillonne dans sa tournée. On l'a faite « comme si », « pour de faux », parce que la mission du facteur est une chose sérieuse, on ne rigole pas avec le courrier, elle ne pouvait pas se mettre en retard un vrai jour de travail, en plus une personne non habilitée n'a pas le droit de toucher le courrier. Comme dans le livre, j'ai vu les petits bonbons qu'un îlien gentil dépose dans sa boîte pour la factrice. J'ai touché du doigt (et des mollets !) la grandeur et la difficulté de ce formidable métier qui rapproche les humains, les enlève à leur solitude, crée du lien. J'ai été pendant quinze ans médecin urgentiste à SOS Médecins à Paris, j'allais de patient en patient dans ma petite voiture blanche avec un gyrophare bleu sur le toit. La factrice passe de maison en maison de la même façon, au soleil ou sous la pluie. On l'attend, elle rythme les heures, c'est une note de musique sur la portée de la journée. À Groix, elle enfourche un vélo électrique, parce que l'île n'est pas, mais alors, pas du tout, plate. Elle est obligée de pédaler sur ce vélo, c'est juste une assistance, un petit coup de pouce, rien à voir avec un scooter. Il y a vraiment quarante-huit boîtes aux lettres au nom de Tonnerre dans l'île, c'est le nom le plus répandu. Plein d'hommes et de femmes ont eu un coup de foudre pour un Tonnerre.

Pour le personnage de Louis, je me suis inspirée d'une histoire vraie. Pendant mes études de médecine, j'ai été externe en réa pneumo à Paris. Les infirmières connaissent toujours leur travail, elles sont merveilleuses. Les externes, étudiants en médecine, l'apprennent. On rassurait les patients, conscients ou dans le coma, on aspirait les malades intubés ou trachéotomisés, on notait leur tension. Un super externe prenait des gardes depuis un moment, il était sympa, empathique, il aspirait rapidement et en douceur, il faisait l'unanimité. Sauf qu'il n'était pas étudiant et ne savait pas prendre les tensions, alors il recopiait celle écrite par l'externe d'avant. Un jour, le tensiomètre d'un box était cassé, l'infirmière a pensé qu'il s'en rendrait compte et emprunterait celui du box à côté, mais il a continué à recopier les chiffres. Il a été démasqué. Il est parti. Tout n'était pas informatisé, il était passé au travers des vérifications. Le service a perdu un type bien. Au lieu de se fier aux chiffres, il regardait les malades, ç'aurait été un super médecin, mais il avait raté le concours. Alors il poursuivait son rêve brisé en prenant des gardes de nuit.

Un autre imposteur m'a donné l'idée de Gabin, le faux écrivain corse. Un de mes amis voulait vendre sa boucherie à Groix. Un jeune Canadien jovial s'est proposé pour l'acheter, ils ont convenu du prix, son père avait les fonds nécessaires là-bas. Il a passé plusieurs mois sur le caillou, il suivait une formation professionnelle pour obtenir son CAP à Lorient et aidait à la vente dans l'île, il avait un joli accent chantant. Son père tardait à se manifester. Le jeune homme assurait que l'affaire avançait. Un soir, il a été invité à dîner avec des Canadiens de passage, c'était une surprise. Il a été démasqué. Il connaissait mal le Canada, se coupait, se trompait. Il était français et mythomane. Il a fait perdre du temps et de l'énergie à mon ami, il a déçu les gens qui l'avaient adopté. Ce n'était pas un escroc, il n'a pas contrevenu à la loi. Il a menti, s'est inventé une origine, un accent, une famille, un projet. Il est reparti mentir ailleurs. La réalité est parfois plus surprenante que la fiction.

Les mensonges sont un réservoir fascinant pour les écrivains. Un romancier adulte continue à jouer à « si j'étais » comme dans l'enfance. Je suis une femme, écrivain, ancien médecin urgentiste, mais dans ce livre je suis une jeune factrice, un homme prête-plume, un vieux journaliste, une fille au crâne cabossé qui chante ses émotions, une veuve italienne, un vélo, une boîte aux lettres. Je monte sur les planches de mes mots pour être actrice de mes personnages et jouer leurs rôles à travers mes mots. La différence c'est que je ne prétends pas être eux. Je l'imagine. C'est pareil si je lis un livre de Grégoire Delacourt, Baptiste Beaulieu, Virginie Grimaldi, Sophie Tal Men, Tatiana de Rosnay ou Anne Goscinny. Je deviens leurs personnages. Dès que je referme le livre, je me retrouve dans ma peau.

Ma peau de Parisienne tombée en amour pour l'île de Groix. Si on a plusieurs vies, j'ai sûrement dû être bretonne. Aujourd'hui, j'écris des romans qui font du bien, parce que la vie est souvent lourde et qu'on a besoin d'ailes certains jours pour redevenir légers. Je vous prescris des îles et des océans, des bateaux et des amis, des rires et des larmes, du vibrant, de l'aimant. Dans ce roman, la tendresse n'est pas poste restante, les liens du sang n'accusent pas réception, les boîtes aux lettres livrent, ou retiennent, certains secrets. Les boîtes de William le Rouquin Marteau existent réellement, on les croise partout dans l'île, poétiques, joyeuses, bateaux verticaux de couleurs différentes, avec une porte qui s'ouvre par un loquet. William construit des bateaux qui naviguent, ses boîtes sont des créations, pas une industrie. La première fois que j'ai débarqué à Groix, elles m'ont fait un clin d'œil. J'arrivais sur une terre plantée dans l'eau, où on n'avait besoin ni de cadenas ni de serrure. Où on pouvait être original. Où l'océan primait. Où l'imagination n'avait pas de barrières. Une île de marins, dignes et formidables. Les Greks vivaient autrefois au rythme des saisons de pêche, ils vivent à présent au rythme des vacances et de la saison touristique. Groix a plusieurs visages, avec une personnalité différente selon les mois.

Pour les dédicaces de ce roman, j'ai dessiné des enveloppes accrochées à des ballons flottant au-dessus de l'océan, ou des enveloppes avec des ailes, coloriées avec des feutres fluos en forme de fleurs trouvés à la Boutique de la Mer chez Mimi. Depuis, j'en ai tout le temps dans mon sac. Pour le prochain livre, je m'exerce à dessiner des pingouins et des manchots. Normalement ils sont noir et blanc mais les miens seront en couleur. Vous saviez qu'il y a des petits pingouins en Bretagne ?

À la fin de *Poste restante à Locmaria*, je partage avec vous la bande originale, la *play-list*, pour que vous puissiez poursuivre l'aventure autrement, à votre rythme. Avec les musiques de chaque personnage, mais aussi celles qui croisent ma route pendant l'écriture, entendues à la radio (vive Shazam), à la télévision, chez des amis, sur les réseaux sociaux. Dans ce livre, il y a Paolo Conte qui explose dans le premier chapitre à Rome piazza del Popolo. Mes incontournables, affolants de beauté, Serge Reggiani, Barbara. Les incroyables d'émotion, Nina Simone, Cesaria Evora. Les Bretons iodés et magnifiques, Gilles Servat, Michel Tonnerre, Les Renavis. Les Corses nostalgiques et émouvants, I Muvrini. Et la voix inimitable de Jean Gabin.

La musique séduit nos oreilles, mais on ne vit pas que d'amour et d'océan Atlantique. Le limoncello, une liqueur de citron que mes amis romains font eux-mêmes, se boit frais, il est parfait pour les soirées d'été, ne prenez pas le volant après, « y a pas seulement que d'la pomme ». J'ai partagé avec vous la recette du cake au romarin que mon amie Brigitte apporte quand on pique-nique à la plage. J'ai beau être une piètre cuisinière, je l'ai testée plusieurs fois, faites exactement ce qui est écrit, « cuire 15 minutes à 180° (thermostat 6), puis 50 minutes à 110° (thermostat 3-4) », ça marche. C'est super bon, pas régime du tout. Dans mon prochain roman, j'ai mis la recette du *magical cake* au chocolat de Martine, dont je parle dans *Entre ciel et Lou*. Une tuerie. Vous verrez.

Donc, je récapitule. Un père. Une île bretonne. Un métier généreux. Des boîtes aux lettres. Des impostures. Des musiques. À boire. À manger. Et l'essentiel, l'amour. Parce que le monde change, on écrit moins de lettres, on s'envoie des mails ou des SMS, on va sur Facebook, WhatsApp, Messenger ou Twitter. Pourtant certaines choses demeurent immuables. On a toujours besoin d'un père, biologique, adoptif, ou d'adoption. On espère toujours une lettre d'amour. Et la Bretagne est une terre intense et formidable.

Kenavo d'an distro, au revoir à bientôt.

L. F.

REMERCIEMENTS

Merci infiniment à Héloïse d'Ormesson et Gilles Cohen-Solal pour leur confiance et leur amitié, à Juliette Cohen-Solal, Valentine Barbini, Rebecca Benhamou, Roxane Defer, Charlotte Nocitau, et à la si talentueuse Anne-Marie Bourgeois, c'est toujours une formidable et pure joie de travailler avec vous.

Merci à Véronique Cardi, à Audrey Petit, à Sylvie Navellou, à Anne Bouissy et à Bénédicte Beaujouan, ainsi qu'à toute l'équipe du Livre de Poche, pour cette fantastique aventure commune.

Merci sur *Enez Groe* à William Duviard et son Atelier Rouquin Marteau, à Françoise Faraud, Marielle Tonnerre, Jo Le Port, Guy Tonnerre, Joseph Gallo, Lucien Gourong, Loïc Le Maréchal, Jean-Pierre et Monique Poupée, Pat et Mimi Sacaze, Hugues et Laurence Sidersky et tous mes amis de la bande du 7. Avec une pensée pour le jeune Canadien futur boucher de l'île, qui n'était finalement ni canadien ni boucher…

Merci spécialement aux libraires, avec une pensée pour Lydie Zannini et Nathalie Couderc, un sourire pour Gilles Tranchant, Sandrine Dantard et Dominique Durand.

Merci aux représentants qui font naviguer mes mots jusqu'aux libraires, aux blogueuses et blogueurs qui les font tanguer sur leurs sites, et à vous, lectrices et lecteurs qui embarquez avec moi pour cette traversée bretonne.

Merci joyeusement à Anne Goscinny, Grégoire Delacourt, Baptiste Beaulieu et Sorj Chalandon. Vous les lisez déjà certainement, sinon foncez !

Merci à ma mère, une grande dame.

Merci inconditionnellement à Vincent Rouberol, Anne de Jenlis, Renata Parisi, Yveline Kuhlmey, Sylvie Overnoy, Nausicaa Meyer, Christine Soler, Catherine Ritchie, Catherine Ferracci, Isabelle et Nadia Preuvot, François Boulet, Guy Lebeau, Mathilde Pouliot, Silvia Gatti, Didier de Haut de Sigy, Christelle Bernasconi.

Et à mon cocker Uriel.

Merci à Christophe Bonnefond, chef de cave de la Maison Mercier, et à mon cousin Emmanuel Mercier.

Merci à Sylvie Billot, Marie-Sophie Nielly, Christine Lemonnier, Marylou Déranlot, Didier Piquot qui m'ont aidée à déménager sans travailler du chapeau.

À la mémoire de Gus Robins.
À la mémoire d'Évelyne de Jenlis.
À la mémoire de Jean d'Ormesson.

Hugues Ternon, Alberte Bartoli,
vous me manquez diantrement.

Papa, si ton cœur n'avait pas flanché si tôt,
je n'aurais pas fait médecine pour sauver les autres papas.
Un confrère aurait rédigé le certificat de décès
de Marguerite Duras. Vous seriez venus me voir
à l'île de Groix, maman et toi. Tu aurais arpenté la lande
avec ta canne. Mais tu n'es pas là. Alors une fois de plus,
j'ai imaginé un papa. Je suis devenue une fille à papas.

Du même auteur :

Aux Éditions Héloïse d'Ormesson

Les Couleurs de la vie, 2017. Le Livre de Poche, 2018.

Entre ciel et Lou, 2016 (prix Ouest 2016, prix Bretagne-priz Breizh 2016, prix des lecteurs U 2017). Le Livre de Poche, 2017.

J'ai rendez-vous avec toi, 2014.

Aux Éditions Robert Laffont

Couleur champagne, 2012.

La Mélodie des jours, 2010. J'ai Lu, 2012.

Le Chant de la dune, 2009.

Une vie en échange, 2008.

Place Furstenberg, 2007. J'ai Lu, 2010.

Nous n'avons pas changé, 2005. J'ai Lu, 2006.

Le Bateau du matin, 2004. J'ai Lu, 2006.

L'Agence, 2003 (prix des Maisons de la Presse 2003). J'ai Lu, 2005.

24 heures de trop, 2002. J'ai Lu, 2004.

Aux Éditions Denoël

Le Talisman de la félicité, 1999.

Aux Éditions Flammarion

Le Phare de Zanzibar, 1999. J'ai Lu, 2003.

Château en Champagne, 1998 (prix Anna de Noailles de l'Académie française 1998). J'ai Lu, 1999.

De toute urgence, 1996 (prix Littré de l'Académie Littré des écrivains médecins 1997). J'ai Lu, 2000.

Aux Éditions J'ai Lu

Taxi maraude, 1992.

Jeanne, sans domicile fixe, 1990.

www.lorrainefouchet.com

Lorraine Fouchet
au Livre de Poche

Entre ciel et Lou n° 34473

Bretagne. Jo prévoit de profiter d'une joyeuse retraite sur l'île de Groix. Mais la deuxième vie qu'il imaginait aux côtés de sa bien-aimée, il devra l'inventer seul. Son épouse est partie avant lui, en lui lançant un ultime défi : celui d'insuffler le bonheur dans le cœur de leurs enfants. Il n'a d'autre choix que d'honorer Lou, sa mémoire et ses vœux. Entre un fils sur la défensive et une fille cabossée par l'amour, la mission s'avère difficile mais réserve son lot d'heureuses surprises – car il n'est jamais trop tard pour renouer. En famille, on rit, on pleure, on s'engueule et, surtout, on s'aime !

Les Couleurs de la vie n° 34911

Fraîchement débarquée de son île bretonne à Antibes pour devenir la dame de compagnie de Gilonne, Kim est frappée par la complicité qui unit cette ancienne actrice à son fils unique. Aussi, quelle n'est pas sa surprise lorsqu'elle apprend que celui-ci aurait disparu des années plus tôt… Gilonne est-elle victime d'un imposteur ? Guidée par son désir de protéger celle qui pourrait être sa grand-mère, Kim va tenter de percer le secret de cette mystérieuse famille. Des vagues de tendresse, un parfum de Bretagne, une pincée de suspense et de l'humour à foison… Lorraine Fouchet déploie ici toute la magie de son écriture.

Le Livre de Poche s'engage pour l'environnement en réduisant l'empreinte carbone de ses livres. Celle de cet exemplaire est de :
350 g éq. CO_2
Rendez-vous sur www.livredepoche-durable.fr

Composition réalisée par MAURY-IMPRIMEUR

Achevé d'imprimer en mars 2019 en Espagne par Liberdúplex
Dépôt légal 1re publication : mars 2019
Édition 02 – mars 2019
LIBRAIRIE GÉNÉRALE FRANÇAISE
21, rue du Montparnasse – 75298 Paris Cedex 06

64/1783/3